Jonas Cohn

Führende Denker

Jonas Cohn

Führende Denker

1. Auflage | ISBN: 978-3-73406-285-8

Erscheinungsort: Frankfurt am Main, Deutschland

Erscheinungsjahr: 2019

Outlook Verlag GmbH, Deutschland.

Reproduktion des Originals.

Die Sammlung

»Aus Natur und Geisteswelt«

nunmehr über 700 Bändchen umfassend, dient seit ihrem Entstehen (1898) den Gedanken, auf denen die heute sich so mächtig entwickelnde *Volkshochschulbewegung* beruht. Sie will jedem geistig Mündigen die Möglichkeit schaffen, sich ohne besondere Vorkenntnisse an sicherster Quelle, wie sie die Darstellung durch berufene Vertreter der Wissenschaft bietet, über jedes Gebiet der Wissenschaft, Kunst und Technik zu unterrichten. Sie will ihn dabei zugleich unmittelbar im *Beruf fördern*, den *Gesichtskreis erweiternd*, die *Einsicht* in die Bedingungen der Berufsarbeit *vertiefend*.

Sie bietet wirkliche »*Einführungen*« in die Hauptwissensgebiete für den *Unterricht oder Selbstunterricht des Laien* nach den heutigen methodischen Anforderungen. Diesem Bedürfnis können Skizzen im Charakter von »Auszügen« aus großen Lehrbüchern nie entsprechen, denn solche setzen eine Vertrautheit mit dem Stoffe schon voraus.

Sie bietet aber auch dem *Fachmann eine rasche zuverlässige Übersicht* über die sich heute von Tag zu Tag weitenden Gebiete des geistigen Lebens in weitestem Umfang und vermag so vor allem auch dem immer stärker werdenden Bedürfnis des *Forschers* zu dienen, sich *auf den Nachbargebieten* auf dem laufenden zu erhalten.

In den Dienst dieser Aufgabe haben sich darum auch in dankenswerter Weise von Anfang an die besten Namen gestellt, gern die Gelegenheit benutzend, sich an weiteste Kreise zu wenden, an ihrem Teil bestrebt, an der »Sozialisierung« unserer Kultur mitzuarbeiten.

So konnte der Sammlung auch der Erfolg nicht fehlen. Mehr als die Hälfte der Bändchen liegen, bei jeder Auflage durchaus neu bearbeitet, bereits in 2. bis 7. Auflage vor, insgesamt hat die Sammlung bis jetzt eine Verbreitung von fast 5 Millionen Exemplaren gefunden.

Alles in allem sind die schmucken, gehaltvollen Bände besonders geeignet, die Freude am Buche zu wecken und daran zu gewöhnen, einen kleinen Betrag, den man für Erfüllung körperlicher Bedürfnisse nicht anzusehen pflegt, auch für die Befriedigung geistiger anzuwenden. Durch den billigen Preis ermöglichen sie es tatsächlich jedem, auch dem wenig Begüterten, sich eine Bücherei zu schaffen, die das für ihn Wertvollste »Aus Natur und Geisteswelt« vereinigt.

Jedes der meist reich illustrierten Bändchen

ist in sich abgeschlossen und einzeln käuflich

Leipzig, im September 1920. B. G. Teubner

Bisher sind **zur Philosophie und Psychologie erschienen**:

Die Psychologie d. Verbrechers. Kriminalpsychol. Von Strafanstaltsdir. Dr. med. *P. Pollitz.* 2. Aufl. Mit 5 Diagr. (Bd. 248.)

*Psychologisches Wörterbuch. Von Dr. *F. Giese.* (Teubners kleine Fachwörterbücher, geb. ca. M. 6.–)

Ethik

Grundzüge der Ethik. Mit besonderer Berücksichtigung der pädagogischen Probleme. Von *E. Wentscher.* 2. Aufl. (Bd. 397.)

Aufgaben und Ziele des Menschenlebens. Nach Vorträgen im Volkshochschulverein zu München, gehalten von Professor Dr. *J. Unold.* 5., verb. Auflage. (Bd. 12.)

Sittl. Lebensanschauung. d. Gegenwart. Von Geh. Kirchenr. Prof. Dr. *O. Kirn.* 3. A., durchges. v. Prof. D. Dr. *O. H. Stephan.* (177.)

Das Problem der Willensfreiheit. Volkshochschulvorträge. Von Professor Dr. *G. F. Lipps.* 2., veränd. Aufl. (Bd. 383.)

Sexualethik. Von Prof. Dr. *H. E. Timerding.* (Bd. 592.)

Ästhetik

*Einführung in die Geschichte der Ästhetik. Von Prof. Dr. *H. Nohl.* (Bd. 602.)

Ästhetik. Von Professor Dr. *R. Hamann.* 2. Aufl. (Bd. 345.)

Poetik. Von Dr. *R. Müller-Freienfels.* (Bd. 460.)

Religionsphilosophie

Das Leben nach dem Tode im Glauben der Menschheit. Von Prof. Dr. *C. Clemen.* (Bd. 544.)

Religion und Naturwissenschaft in Kampf und Frieden. Von Pfarrer Dr. *A. Pfannkuche.* 2. Aufl. (Bd. 141.)

Naturphilosophie

Naturphilosophie. Von Professor Dr. *J. M. Verweyen.* 2. Aufl. (Bd. 491.)

Entstehung der Welt u. der Erde nach Sage u. Wissenschaft. Von Geh. Reg.-Rat Prof. Dr. *M. B. Weinstein.* 3. Aufl. (Bd. 223.)

Der Untergang der Welt u. der Erde in Sage u. Wissenschaft. Von Geh. Reg.-Rat Professor Dr. *M. B. Weinstein.* (Bd. 470.)

Sternglaube und Sterndeutung. Die Geschichte und das Wesen der Astrologie. Unter Mitwirkung von Geh. Rat Prof. Dr. *K. Bezold* dargestellt von Geh. Hofrat Prof. Dr. *Fr. Boll.* 2. Aufl. Mit 1 Sternkarte und 20 Abbildungen. (Bd. 638.)

Führende Denker. Geschichtliche Einleitung in die Philosophie. Von Prof. Dr. *J. Cohn.* 4., durchges. Aufl. Mit 6 Bildn. (Bd. 176.)

*Sozialismus in d. Philosophie vom Altertum bis zur Gegenwart. Von Provinzialschulrat Prof. Dr. *K. Vorländer.* (Bd. 824.)

Die Freimaurerei. Eine Einführung in ihre Anschauungswelt und ihre Geschichte. Von Geh. Rat Dr. *L. Keller.* 2. Aufl. von Geh. Archivrat Dr. *G. Schuster.* (Bd. 463.)

Philosophie d. Altertums

Griech. Weltanschauung. V. Prof. Dr. *M. Wundt.* 2. Aufl. (Bd. 329.)

*Religion und Philosophie im alten Orient. Von Prof. Dr. *E. v. Aster.* (Bd. 521.)

Neuere Philosophie

Die Weltanschauungen der großen Philosophen der Neuzeit. Von Professor Dr. *L. Busse.* 6. Auflage, herausgegeben von Geh. Hofrat Professor Dr. *R. Falckenberg.* (Bd. 56.)

Die großen englischen Philosophen Locke, Berkeley, Hume. Von Oberlehrer Dr. *P. Thormeyer.* 2. Aufl. (Bd. 481.)

Rousseau. Von Prof. Dr. *P. Hensel.* 3. Aufl. Mit Bildn. (Bd. 180.)

Immanuel Kant. Darstellung und Würdigung. Von Geh. Hofrat Prof. Dr. *O. Külpe.* 5. Aufl., hrsg. von Prof. Dr. *A. Messer.* Mit 1 Bildnis Kants. (Bd. 146.)

Schopenhauer. Seine Persönlichkeit, seine Lehre, seine Bedeutung. Von Realgymn.-Dir. *H. Richert.* 4. Aufl. Mit 1 Bildnis. (Bd. 81.)

Herbarts Lehren und Leben. Von Pastor *O. Flügel.* 2. Aufl. Mit 1 Bildnis Herbarts. (Bd. 164.)

Herbert Spencer. Von Dr. *K. Schwarze.* Mit 1 Bildnis. (Bd. 245.)

Neueste Philosophie

Die Philosophie der Gegenwart in Deutschland. Von Geh. Hofrat Prof. Dr. *O. Külpe.* 7., verb. Auflage. (Bd. 41.)

Okkultismus, Spiritismus u. unterbewußte Seelenzustände. Von Dr. *R. Baerwald.* (Bd. 560.)

*Theosophie u. Anthroposophie. Von Privatdozent Studienrat Dr. *W. Bruhn.* (Bd. 775.)

Henri Bergson, der Philosoph moderner Religion. Von Pfarrer Dr. *E. Ott.*

(Bd. 480.)

Die mit * bez. u. weitere Bände befinden sich in Vorber.

Aus Natur und Geisteswelt

Sammlung wissenschaftlich-gemeinverständlicher Darstellungen

176. Band

Führende Denker

Geschichtliche Einleitung in die Philosophie

Von

Jonas Cohn

ao. Professor a. d. Universität Freiburg i. Br.

Vierte, durchgesehene Auflage

17.–21. Tausend

Mit 6 Bildnissen

Zur Einführung.

Nicht in die Geschichte der Philosophie, sondern *durch* Geschichte in die Philosophie selbst will dieses Buch einleiten. Diese Absicht bestimmte die Auswahl nicht nur der Denker, sondern auch dessen, was von jedem Denker gegeben wurde. Überall habe ich mich bemüht, das für die Philosophie dauernd Bedeutende herauszuarbeiten. An Darstellungen, die auch die Nebenzüge und Gegenströmungen im Geiste der großen Denker wiedergeben, fehlt es nicht. Wo der Leser zwischen solchen Darstellungen und der meinigen Widersprüche zu bemerken glaubt, bitte ich ihn, an jene besondere Absicht meiner Vorträge zu denken.

Hervorgegangen ist diese Absicht aus der festen Überzeugung, daß die Philosophie im Laufe ihrer Entwicklung mehr als eine Summe geistreicher Einfälle hervorgebracht hat. Gerade wenn man auf die Hauptzüge der Entwicklung allein sieht, erkennt man, daß auch in der wichtigsten aller Wissenschaften Wahrheiten von grundlegender und ewiger Bedeutung gefunden worden sind, Wahrheiten, wohl geeignet, als Stütze des Lebens zu dienen.

Die folgenden Vorträge wurden im Dezember 1906 in Freiburg i. Br. vor Hörern jedes Standes und Geschlechts gehalten. Der Eifer, mit dem zahlreiche Teilnehmer, vielfach nach anstrengender Tagesarbeit, meinen Ausführungen folgten, zeigte mir, wie weit das Bedürfnis nach Philosophie verbreitet ist. Auch die gedruckten Vorträge möchten weitesten Kreisen dienen. Deshalb habe ich absichtlich den Ton der mündlichen Rede im wesentlichen festgehalten. Nur die Wiederholungen des Vortrags, die der Leser durch Zurückschlagen ersetzen kann, wurden gekürzt und dafür einige Abschnitte eingefügt, die etwas tiefer in die behandelten Fragen hineinführen, bei einmaligem Hören aber unverständlich geblieben wären.

Zu weiterer Selbstbelehrung wird die Vergleichung meiner Darstellung mit anderen neueren Einleitungen in die Philosophie beitragen. Es handelt sich ja nicht darum, auf Eines Worte zu schwören, sondern durch eigene Prüfung seine feste Überzeugung zu gewinnen. Absichtlich nenne ich unter diesen einführenden Büchern kein einzelnes; sie sind leicht zu finden, auch *diese Sammlung* enthält mehrere hierhergehörige Bände. Als Werke, in denen die gleichen Grundüberzeugungen wie hier vertreten werden, und die geeignet scheinen, zu gründlicherer Einsicht zu führen, möchte ich nur: *Windelband*, Präludien, und *Hensel*, Hauptprobleme der Ethik, anführen. Vor allem aber rate ich, einige Hauptwerke der großen hier behandelten Philosophen selbst zu lesen, die meist in der philosophischen Bibliothek (Felix Meiner, Leipzig), zum Teil auch in Reclams Universal-Bibliothek erschienen sind. Als leichter verständliche Schriften kommen vor allem in Betracht:

Zu Vortrag I:

Xenophon: Erinnerungen an Sokrates.

Platon: Verteidigung des Sokrates, Kriton, Laches.

Zu Vortrag II:

Platon: Protagoras, Gorgias, Phädon, Gastmahl.

Zu Vortrag III:

Descartes: Abhandlung über die Methode. Betrachtungen über die Metaphysik.

Zu Vortrag IV:

Spinoza: Abhandlung über die Verbesserung des Verstandes.

Zu Vortrag V:

Kant: Prolegomena zu einer jeden künftigen Metaphysik. Grundlegung zur Metaphysik der Sitten.

Zu Vortrag VI:

Fichte: Die Bestimmung des Menschen. Einige Vorlesungen über die Bestimmung des Gelehrten. Der geschlossene Handelsstaat. Grundzüge des gegenwärtigen Zeitalters. Reden an die deutsche Nation.

Absicht des Buches

Der Absicht dieser Vorträge gemäß habe ich nirgends die Forscher zitiert, denen ich Tatsachen oder Anregungen verdanke. Der Sachkundige bemerkt ohnedies, welchen neueren Philosophen, Geschichtschreibern und Biographen ich mehr oder minder folge. Es braucht kaum gesagt zu werden, daß eine allgemeinverständliche Einführung nicht den Anspruch erhebt, neue Ergebnisse mitzuteilen. Überhaupt bitte ich alle, die gleich mir ihr Leben der Arbeit an philosophischen Problemen gewidmet haben, zu bedenken, daß dies Buch nicht für sie geschrieben wurde, wiewohl sie allein seine zuständigen Richter sind.

Jede neue Auflage habe ich genau durchgesehen, die vierte besonders auch auf die Verständlichkeit und Einsichtigkeit des Gedankenfortschritts hin. Das Büchlein ist hier und da im philosophischen Unterricht unserer höheren Schulen gebraucht worden; ich habe Winke eines Lehrers dankbar benutzt und bitte herzlich, mir weitere Erfahrungen mitzuteilen. Den Plan des Ganzen glaubte ich beibehalten zu sollen, insbesondere konnte ich mich nicht entschließen, ihn durch die – von manchen Beurteilern gewünschte – Aufnahme anderer Philosophen zu sprengen. »Führende Denker« – darunter verstehe ich hier solche, die geeignet sind, zur Philosophie hinzuführen. Die großen Systematiker aber, ein Aristoteles, Leibniz, Hegel setzen zu ihrem Verständnis schon geschultes philosophisches Denken und überdies, da sie das ganze Wissen ihrer Zeit verarbeiten, zahlreiche sachliche und geschichtliche Kenntnisse voraus. Gerade weil ich diese umfassenden Geister verehre, widerstrebt es meinem Gefühl, ihnen durch eine abgekürzte Darstellung Unrecht zu tun. Anders steht es mit Denkern, deren Größe mehr in der Fragestellung und in der Entdeckung einiger großen Grundgedanken besteht. Diese allein scheinen mir auch geeignet zu sein, das Verständnis für Philosophie zu wecken.

Erster Vortrag.
Sokrates.

Es ist schwierig, vor unbekannten Hörern von Philosophie zu reden. Da nämlich Philosophie den ganzen Menschen ergreifen will, muß ein philosophischer Vortrag mehr als jeder andere mit der inneren, tätigen Anteilnahme des Hörers rechnen. Alle Philosophie sucht Antwort zu geben auf die Frage nach der Bestimmung des Menschen. So mannigfaltig die Gegenstände sind, mit denen sie sich beschäftigt, sie wählt diese Gegenstände nur, weil sie von ihnen Auskunft erhofft über das wichtigste aller Probleme: Was soll ich in dieser rätselhaften Welt? Nur bei Hörern, die von dieser Frage irgendwie schon beunruhigt worden sind, kann ein philosophischer Vortrag hoffen, Verständnis zu finden. Ich nehme an, daß Sie alle in irgendeiner Weise diese Unruhe empfunden haben, daß also ein Bedürfnis nach Philosophie bei Ihnen besteht. Ein solches Bedürfnis *muß* ich voraussetzen, weiter aber will ich *nichts* voraussetzen. Ich werde mich bemühen, Ihnen zu größerer Klarheit über das zu verhelfen, was Sie suchen, und Ihnen die Wege zeigen, auf denen jenes Bedürfnis so viel echte Befriedigung wie irgend möglich findet. Als geeignetes Mittel zu diesem Zwecke erscheint mir, Ihnen die Hauptgedanken der Philosophie in innigster Verbindung mit dem Leben der großen Denker vorzuführen. Denn diese Gedanken sind aus dem inneren Erleben bedeutender Persönlichkeiten hervorgegangen; die Kenntnis dieser Persönlichkeiten ist zwar nicht der kürzeste und wissenschaftlichste, wohl aber der gangbarste und angenehmste Weg, um Verständnis für ihre Gedanken zu gewinnen.

Nicht neue Ergebnisse der Wissenschaft, sondern alte Weisheit will ich Ihnen vortragen. Sollte einer oder der andere dadurch sich enttäuscht fühlen, so müßte ich mit einer Anekdote antworten. Ein leutseliger König besuchte einst eine Sternwarte und fragte den leitenden Astronomen: »Was gibt's Neues am Himmel?« Der schlagfertige Gelehrte antwortete mit der Gegenfrage: »Kennen Majestät schon das Alte?«

Alte Weisheit also will ich versuchen, Ihnen so vorzuführen, daß sie neu erscheint – neu im Sinne von neu erlebt. Ich will mich bemühen, Ihnen die scheinbar entlegenen und lebensfremden Gedanken aus der Seele führender Denker heraus in ihrer inneren, lebendigen Bedeutung nahezubringen. Unter den großen Philosophen habe ich sechs Männer gewählt, die zugleich die drei fruchtbarsten Zeitalter in der Geschichte des philosophischen Denkens vertreten und die sich paarweise zueinander wie Lehrer und Schüler verhalten: *Sokrates* und *Platon, Descartes* und *Spinoza, Kant* und *Fichte*. Jedem von ihnen soll ein Vortrag gewidmet sein. Warum ich gerade diese Männer auswählte, kann sich nur durch den Fortgang meiner Betrachtungen rechtfertigen.

Vaterstadt und Zeitalter

Bei dem ersten unter ihnen freilich ist das sofort klar. Man *kann* nur bei *Sokrates* beginnen, wenn man die Philosophie lebendig erfassen will. Leben und Denken sind bei ihm innig verflochten. Er hat seine Philosophie nicht in Büchern, sondern in seiner Lebensführung und seinen Gesprächen dargestellt. Vielleicht war das mit dieser ungeheuren Wirkung auch nur in seiner Heimat und zu seiner Zeit möglich. Sokrates ist um das Jahr 470 v. Chr. als Sohn des Bildhauers Sophroniskos, den wir uns als Handwerker, nicht als Künstler vorstellen müssen, in Athen geboren. Seine Mutter übte den Beruf einer Hebamme aus. Er stammte also aus kleinbürgerlichen Verhältnissen. Aber die Armut hinderte einen Athener jener Zeit nicht daran, seinen Geist zu bilden. Athen stand damals auf dem Gipfel seiner Macht, es war nicht mehr Hauptstadt eines griechischen Kleinstaates, sondern Mittelpunkt eines Bundes von Seestaaten, der tatsächlich nahezu die Festigkeit eines einheitlichen Reiches hatte. Dadurch beherrschte nach den Perserkriegen das siegreiche Athen die Küsten Asiens und die Inseln des östlichen Mittelmeeres. Reichtum durchströmte die Stadt und wurde bei der demokratischen Verfassung in Festen, Spielen, Bauten, Kunstschätzen allen Bürgern zugänglich und nutzbar. Das Leben war durchaus öffentlich. Im Süden, wo Gespräch, Verhandlung, selbst Berufsgeschäfte sich auf der Straße abspielen, ist das – für den Mann wenigstens – in gewissem Sinne immer der Fall; in jener Zeit aber erfüllte den gemeinsamen Schauplatz des äußeren Lebens ein großes öffentliches Interesse geistiger und sittlicher Art, der leidenschaftliche Anteil jedes Bürgers an seinem Staate. Auch die nicht im engeren Sinne politischen Tätigkeiten dienten dem Staate; ihn verherrlichte und schmückte die Kunst, für ihn war es ebensogut wie für den Sieger selbst eine Ehre, wenn einer seiner Bürger in den Olympischen Spielen den Preis errang. Diese Einheit fand ihren höchsten Ausdruck in einer Religion, die nicht in bestimmten Glaubenssätzen oder heiligen Büchern niedergelegt war, aber durch die Weihe ihres Kultus das ganze bürgerliche Leben beherrschte.

So bildete sich der einzelne durch den Staat und für den Staat. Das bedeutete aber keine Unterdrückung persönlicher Kraft und Eigenart. Im Gegenteil, jeder irgendwie Begabte bemühte sich, im Staate Macht, Ansehen, Ruhm zu erringen. Gerade die Öffentlichkeit des Lebens machte auch die Ehrungen besonders verlockend; jede Tätigkeit wurde so zum Wettkampf. In den festlichen Aufführungen zu Ehren des Gottes Dionysos rangen dramatische Dichter um den Preis, die Volksversammlungen bildeten den

Schauplatz rednerischen Wettstreites um die Gunst des Volkes. Es konnte nicht ausbleiben, daß die starken, selbstbewußten Persönlichkeiten, die sich für den Staat gebildet hatten, auch gegenüber dem Ganzen ihre Ansprüche geltend zu machen suchten.

Zum Durchbruch verhalf diesem Kraftgefühl des Einzelmenschen die Wissenschaft, die seit der Mitte des 5. vorchristlichen Jahrhunderts in Athen Aufnahme fand. Sie war nicht dort entstanden, sondern stammte aus den griechischen Kolonien an der Westküste Kleinasiens, zumal aus den sogenannten ionischen. Die frühesten Vertreter griechischer Wissenschaft seit *Thales* von *Milet* richteten ihr Nachdenken in erster Linie auf das Wesen der körperlichen Natur. Uns gehen hier nicht die einzelnen Ansichten an, die man über die Körperwelt ausbildete; wichtig ist an dieser Stelle nur die Tatsache, daß man sich nicht mehr zufrieden gab, in Sonne und Mond, Strömen und Meeren, Wind und Gewitter Äußerungen bestimmter Götter zu sehen, sondern daß man nach der Natur dieser körperlichen Erscheinungen, ihrem Grundstoff und gesetzlichen Zusammenhang forschte. Es bildeten sich verschiedene Schulen aus, deren Anhänger einander bekämpften, den Gegner zu widerlegen, die eigene Ansicht durch eindrucksvolle Gründe zu stützen suchten.

Die Sophisten

In diesen Kämpfen entstand eine Streitkunst, die nicht immer die Grenzen zwischen Widerlegung und Verblüffung des Gegners, zwischen Überzeugung und Überredung des Zuhörers innehielt. Die Gewandtheit der Wortfechter war den Unbeteiligten oft wichtiger als der Gegenstand der Unterredung; zumal in *Athen* nahmen zwar einzelne wie *Perikles*, der leitende Staatsmann, inneren Anteil an der Erforschung der Wahrheit um ihrer selbst willen, für die große Menge aber war der Streit jener Schulen nur eine neue Art Wettkampf und Schauspiel. Die jungen Athener, die sich den fremden Weisen in die Lehre gaben, wollten von ihnen die Streitkunst lernen, da diese sich als Mittel zur Beeinflussung der Volksversammlungen und Gerichte wohl verwenden ließ. Solchem Bedürfnis kamen die Lehrer entgegen, die man *Sophisten* nannte, und die nach eigener Angabe ihre Schüler vor allem im Reden tüchtig machen wollten. Sophisten bedeutet ursprünglich nur weise und kundige Männer. Erst später infolge des Kampfes, den Sokrates und seine Schüler gegen sie führten, bekam die Benennung den üblen Klang, den sie noch für uns hat. Die Sophisten wollten, so können wir bis jetzt ihr Streben kennzeichnen, durch die in den wissenschaftlichen Streitigkeiten ausgebildeten Mittel ihre Schüler zu wirksamen Rednern und schlagfertigen Debattierern ausbilden, damit sie in der Volksversammlung und vor Gericht Einfluß gewännen. Während aber die jungen Athener praktischen Erfolg im Staate suchten, waren die Sophisten selbst keine praktischen Staatsmänner. Sie waren auch nicht in ihrem heimischen Staate tätig, vielmehr zogen sie, Ruhm und Geld zu gewinnen, von Stadt zu Stadt und kehrten natürlich besonders gern in dem reichen und mächtigen Athen ein. Keiner unter den bedeutenden Sophisten aber war Athener. Sie waren also nicht, wie der attische Bürger, selbstverständlich hineingewachsen in bestimmte heimische Verhältnisse, in denen man sich zur Geltung bringen will, an denen man vielleicht auch vieles einzelne ändern möchte, die man aber doch als Ganzes hinnimmt. Nein, die Sophisten waren losgelöste, nur auf sich gestellte Einzelmenschen, stolz nicht mehr auf ihren Staat, auf ihre Leistungen in ihm und für ihn, sondern nur auf ihr eigenes Wissen und Können.

Die Sophisten bildeten keine Einheit, sie waren ein Stand ohne ständische Organisation. Es existierte also auch keineswegs eine sophistische Schule, in der bestimmte Meinungen herrschten. Nur der Lehrberuf war ihnen gemeinsam, keineswegs der Inhalt der Lehre. Trotzdem entsprach der Gleichheit ihrer gesellschaftlichen und geschichtlichen Stellung ein gemeinsamer Grundzug ihrer Gesinnung, der sich bei den philosophisch Gerichteten unter ihnen (und nur diese gehen uns etwas an) in ähnlichen Lehren ausdrückte. Wie im Leben, so waren sie auch in der Philosophie heimatlos. Aus dem Streite der verschiedenen naturphilosophischen Schulen hatten sie entnommen, daß in keiner von ihnen Wahrheit sei, ja, daß es eine für alle gültige Wahrheit überhaupt nicht gebe. Wahr sei jedem, was ihm wahr scheine. *Protagoras*, der älteste und bedeutendste unter den Sophisten, suchte das wissenschaftlich zu begründen. Die Wahrnehmung eines Dinges durch eines unserer Sinnesorgane, z. B. das Auge, kommt dadurch zustande, daß das Ding auf unser Auge wirkt. Das Bild, das wir sehen, ist also nicht nur von dem gesehenen Dinge, sondern zugleich von dem sehenden Auge abhängig. Sie können sich das leicht an dem verschiedenen Anblick klar machen, den etwa ein Tisch bietet, wenn wir ihn von verschiedenen Seiten und bei verschiedener Stellung des Kopfes betrachten. Auch die Farben wirken auf das ermüdete Auge anders als auf das ausgeruhte, und dasselbe gilt von jeder anderen sinnlichen Auffassung. Sinnliche Wahrnehmung aber ist – das steht für Protagoras fest – die einzige Grundlage alles Erkennens. Wenn die Wahrnehmung also in jedem Falle von der besonderen Natur, Stimmung und Stellung des Erkennenden abhängig ist, so gibt es keine für alle gleiche Wahrheit. In diesem Sinne stellte Protagoras den Satz auf: »Der Mensch ist das Maß aller Dinge.« Gibt es keine Wahrheit, so kann man auch keinen anderen von der Wahrheit überzeugen. Will ein Mensch auf den anderen wirken, so kann er nur versuchen, ihm durch geeignete Künste die Meinung beizubringen, die dem Redner günstig ist. Die Sophisten wollen daher ihre Schüler zu tüchtigen Künstlern in der Überredung machen.

Diese Theorie sieht zunächst weltfremd und ungefährlich aus; auch war ihr

Urheber überzeugt, daß sie mit politischen und zumal mit religiösen Umwälzungen nichts zu tun habe, erklärte vielmehr, über die Götter vermöge er überhaupt nichts auszusagen. Da es sich auf religiösem Gebiete also nicht um ein Wissen handeln konnte, übte er ruhig den gebräuchlichen Kultus aus und folgte den herrschenden Sitten. Der Widerstreit indessen zwischen seinem Bekenntnis der Unwissenheit und dem festen Glauben eines echten Anhängers der alten Religion, trat, so sehr er ihn vor sich und anderen zu verschleiern suchte, bei einigen seiner Schüler entschieden hervor. Keck verachteten sie die Vorsicht und Zurückhaltung des Meisters und meinten, daß jeder einzelne sich über Gesetz, Sitte, Religion hinwegsetzen dürfe, wenn nur der Erfolg seiner Kraft oder Schlauheit recht gebe. Als Hauptgegenstand ihres Unterrichts betrachteten sie die Kunst der Überredung; wer sich ihnen anvertraute, sollte lernen, anderen die Meinung beizubringen, die ihm selbst vorteilhaft sei. Nach ihrer eigenen Handlungsweise beurteilten sie auch die Staatsmänner der Vorzeit, in denen sie die Urheber nicht nur der politischen, sondern auch der religiösen und moralischen Gesetze und Sitten sahen. Diese Machthaber waren nach ihrer Meinung schlaue Männer, gewissermaßen Vorläufer der Sophisten, gewesen und hatten es verstanden, der Masse die Überzeugung beizubringen, daß es gut sei, den Gesetzen zu folgen, die sie nur zum Vorteil der Herrscher erdacht hatten. Nichts ist wahr, alles ist erlaubt – das wird dann die Lebensregel für den starken Geist. Hüten wird er sich freilich, sie vor den auszubeutenden Herdenmenschen offen zu bekennen.

Gleichzeitig mit dieser Entwicklung der Sophistik entartete das politische Leben. Die von alters her erbitterten Parteikämpfe verwilderten mehr und mehr, selbst die Verbindung mit dem Landesfeinde wurde nicht gescheut. Der unparteiische Betrachter wird sich fragen müssen, ob die radikalen sophistischen Theorien Ursache oder bloße Spiegelung dieser politischen Entartung waren, er wird ihnen sicher nicht die Hauptschuld zuschreiben. Aber viele Zeitgenossen urteilten anders, zumal seit in dem großen Entscheidungskampf um die Herrschaft über Griechenland, in dem Peloponnesischen Kriege, Not und Bedrängnis über Athen kam. Viele glaubten damals, daß die neumodische Bildung schuld an allem Unglück sei; es entstand eine Partei, die in der Rückkehr zu schlichtem altväterlichem Glauben und Handeln das einzige Heil sah.

Verhältnis zu den Sophisten

Des *Sokrates* Jugend fiel in die Periode der höchsten Blüte des Staates und des Eindringens der Sophisten, seine Wirksamkeit hauptsächlich in die Zeit des großen Krieges. Er mußte also zu zwei Gruppen von Männern Stellung nehmen, zu den Neuerern und Sophisten einerseits, zu den Verteidigern der alten Sittlichkeit und Religion anderseits. Da aber des Sokrates Denken sich, wie hervorgehoben, in seiner Lebensführung offenbarte, müssen wir diese vor

15

allem betrachten.

Sokrates trieb kein dem Broterwerb gewidmetes Geschäft, sondern lebte unter größter Einschränkung seiner Bedürfnisse von den Erträgnissen des kleinen väterlichen Erbes und zugleich wohl von freiwilligen Geschenken seiner Freunde. Er diente dem Staat als tapferer Krieger, einmal auch als Mitglied des Rates, aber politischen Ehrgeiz hatte er nicht, in den Parteikämpfen spielte er keine Rolle. Vielmehr verbrachte er seine Tage auf den Plätzen Athens mit Gesprächen, deren Eigenart uns noch beschäftigen muß. Nichts lag näher als ihn mit den Redekünstlern von Gewerbe, den Sophisten in eine Klasse zu setzen, wie das auch z. B. der Komödiendichter *Aristophanes* tat. Aber schon äußerlich unterschied sich Sokrates von den Sophisten dadurch, daß er keinen Lohn für seine Unterredungen nahm, auch nicht eigentlich Schüler hatte, die er einen bestimmten Lehrgang durchmachen ließ, sondern nur Anhänger, die ihm freiwillig folgten und an seinen Unterredungen teilzunehmen begehrten. In diese Gespräche zog Sokrates alle möglichen Bürger – Handwerker und Offiziere, Vornehme und Geringe, Politiker und Sophisten – hinein; gern ging er von einem praktischen Falle aus, wußte aber die Rede bald auf die wichtigsten allgemeinen Fragen hinüberzulenken. Ein fremder Fechtmeister führt etwa seine Künste vor und zuschauende Bürger beraten, ob sie ihre Söhne von ihm unterrichten lassen sollen. Sokrates wird zu der Beratung herangezogen und macht sofort darauf aufmerksam, daß die Entscheidung davon abhänge, was man mit dem Unterricht erreichen wolle. Die Söhne zu tapferen Kriegern machen, wird ihm geantwortet. Ja aber was ist nun Tapferkeit? fragt Sokrates weiter und ist damit bereits bei der Erforschung allgemeiner Fragen des sittlichen Lebens angelangt.

Ganz besonders bemühte sich Sokrates, begabte junge Leute an sich heranzuziehen und zu tieferem Nachdenken anzuregen. Zum Nachdenken anzuregen, sage ich; denn Sokrates will nie fertige Weisheit mitteilen, betont vielmehr immer wieder, er wisse nichts und unterscheide sich nur dadurch von den anderen, daß er um sein Nichtwissen wisse. Erst durch die gemeinsame Untersuchung soll die Wahrheit gefunden werden. Kein Wunder, daß oft ein positives Ergebnis nicht gewonnen wurde, sondern die Teilnehmer am Gespräch zuletzt sich nur insofern gefördert sahen, als sie nun mit Sokrates um ihr Nichtwissen wußten.

Denken Sie sich einen lebhaften, schlecht gekleideten, barfuß gehenden Menschen mit dicken Lippen, aufgeworfener Nase und von kurzer Gestalt, der die Vorübergehenden anredet und mit großem Eifer in eigenartige Gespräche hineinzieht, so werden Sie begreifen, daß dieser Mann rasch ein stadtbekanntes Original wurde. Sein Witz und seine geistige Überlegenheit errang sich bei manchen Achtung, bei mehreren Feindschaft. Sogar seine nach attischem Brauch ungebildete Gattin, die das dürftige Hauswesen in Ordnung halten mußte, sah in ihm wie natürlich einen recht unnützen Müßiggänger und machte ihm wohl gelegentlich heftige Szenen. Ihr Name *Xanthippe* ist sprichwörtlich für ein zanksüchtiges Weib geworden, obwohl die wenigen, wirklich zuverlässigen Nachrichten sie als eine brave Person schildern, die ihren Mann in ihrer Art herzhaft liebte und sich bei seinem Tode vor Kummer nicht fassen konnte. Auch auf sie, die ihren Gatten gewiß nicht verstand, muß doch die Gewalt seiner einzigartigen Persönlichkeit gewirkt haben.

Lebensweise. Jünger

Sokrates wußte die verschiedenartigsten Menschen zu gewinnen und zu fesseln, er besaß die Kunst, auf jeden seiner Eigenart gemäß zu wirken; daher schilderte ihn jeder seiner Schüler anders. Viele unter den Büchern der Sokratesjünger sind verloren, aber wir besitzen noch die Werke von zwei sehr verschiedenartigen Anhängern.

Xenophon, Offizier, Landwirt, Geschichtschreiber, ein Mann des tätigen Lebens, schildert Sokrates als einen praktischen, witzigen Menschen, der es sich zum Beruf gemacht hat, die Athener zu tüchtigem Wirken für Familie und Staat zu erziehen. Klug und hilfreich berät er seine Freunde auch in den kleinen Angelegenheiten ihres Privatlebens. Unnützen Spitzfindigkeiten ist er abgeneigt; es tritt kaum hervor, daß er selbst im Gegensatze zu der Scheinweisheit der Sophisten eine *Einsicht*, ein wahres Wissen zu gewinnen strebt. Sokrates erscheint in diesem Spiegel bieder, kernhaft und tüchtig, aber auch nüchtern und prosaisch; seine Weisheit ist eine ziemlich hausbackene Moral und ein witzig vorgetragener gesunder Menschenverstand. Der Quellenwert der Xenophonischen Denkwürdigkeiten wird dadurch vermindert, daß sie zum größten Teile erst ein Menschenalter nach dem Tode des Sokrates verfaßt wurden.

Ganz anders sah *Platon* mit dem Tiefblicke des Dichters den Sokrates; er fühlte das Feuer und die Begeisterung durch die kühlverständige Hülle hindurch, ihm erschloß sich das Götterbild, das hinter der Silensmaske des Sokrates verborgen war. Wir verdanken es Platon, daß der mehr als dämonische, der göttliche Zauber des seltsamen Mannes auch uns noch berückt, wir sind ihm noch größeren Dank dafür schuldig, daß er die Ansätze wissenschaftlicher Erkenntnis in den Gesprächen des Meisters ans Licht stellte.

Dem Historiker freilich hat gerade Platons Größe seine Aufgabe erschwert; Platon war kein bloßer Spiegel des empfangenen Gutes, in seinem Geiste bildete sich jeder Gedanke eigenartig um, und er nahm in treuer Verehrung

17

des Meisters die Gewohnheit an, auch eigene Überlegungen und Einsichten dem Sokrates in den Mund zu legen, sie so gleichsam seinem Lehrer zuzueignen. Doch gilt dies von den späteren platonischen Dialogen mehr als von den frühen, die bald nach Sokrates' Tode entstanden sind. Aus ihnen lassen sich die Grundüberzeugungen des Sokrates recht wohl feststellen.

Sokrates wollte die, mit denen er umging, zum rechten Leben führen, das zugleich nach seiner Überzeugung und Erfahrung das glückliche Leben ist; er war also sittlicher Reformator und wirkte durch sein Vorbild, seine Person mindestens so sehr wie durch seine Lehre. Für die Philosophie aber erlangt dieser Reformator dadurch entscheidende Bedeutung, daß er sittliche Einsicht als Bedingung der sittlichen Umkehr fordert. Das führt zur strengeren Untersuchung.

Die bedeutendsten Sophisten, so sahen wir, glaubten nicht an eine für alle Menschen gültige Wahrheit. Gerade dieser ihrer Voraussetzung trat Sokrates entgegen. Er war innig überzeugt, daß sich die Wahrheit finden lassen müsse. Sonst hätte er auch sein Gesprächführen nicht als ein ihm von der Gottheit übertragenes Amt ansehen können. Seine Gespräche sind ja eine Art Forschung, und kein ernster Forscher zweifelt daran, daß wenigstens ein Stück Wahrheit sich finden läßt; sonst würde er die Mühe des Untersuchens nicht auf sich nehmen. Sokrates zeigt den Sophisten, daß sie selbst im Grunde einige Wahrheiten zu besitzen glauben. Sie wollen doch lehren, wie man auf Menschen wirken kann. Dazu müssen sie gewisse Kenntnisse über die Natur der Menschen mitteilen, und wenn sie diese Kenntnisse nicht für wahr hielten, hätte ihr ganzes Treiben keinen Sinn. Auch ihre Behauptung, daß sie weiser seien als andere, daß daher ihr Unterricht etwas nütze, setzt voraus, daß sie sich im Besitz gewisser Wahrheiten fühlen. Er bekämpft also die Sophisten mit ihren eigenen Waffen und zeigt, daß sie nicht einmal selbst den Glauben an ihre Voraussetzung festhalten können. Allerdings in *einem* Punkte stimmt Sokrates mit den Sophisten überein, in der Forderung verstandesmäßiger Untersuchung alles dessen, was sich für wahr und gut ausgibt. Die Wahrheit liegt nicht in irgendwelchen Überlieferungen fertig vor, sondern sie muß erst durch Nachdenken gefunden werden. Man sieht, Sokrates nimmt neben den beiden Richtungen, die wir schilderten, den Neuerern und den Verteidigern des Alten, eine ganz eigenartige Stellung ein. Der radikale Sophistenschüler sagt: Es gibt keine Wahrheit, tue jeder, was ihm beliebt und nützt. In schroffem Gegensatz dazu fordert der für altväterliche Sitte und Religion begeisterte Patriot: Erkenne an, daß die Wahrheit in den überkommenen Gebräuchen und im heimischen Gottesdienst gegeben ist, und hüte dich, durch Denken oder Handeln von dieser Richtschnur abzuweichen. Sokrates tritt beiden entgegen und lehrt: Es gibt Wahrheit, sie ist uns allen erreichbar, aber wir müssen sie suchen. Nur durch ernsthaftes Forschen können wir sie finden; nur ein Handeln aus selbsterrungener Einsicht kann wahrhaft gut sein.

Methode

Zwei Fragen drängen sich uns hier sogleich auf: Wie lehrte Sokrates die Wahrheit finden, und auf Wahrheit welcher Art kam es ihm an? Die Art, zu einer Einsicht zu gelangen, nennt man Methode. Viele von Ihnen haben gewiß schon von einer sokratischen Methode reden hören, manche wissen wohl auch, daß diese Methode durch geeignete Fragen aus dem Schüler selbst die richtige Antwort herauszuentwickeln sucht.

Nicht zufällig wählte Sokrates diesen Weg, der für ihn kein bloßes Mittel der Belehrung, sondern wirklich der geeignetste Pfad zur Wahrheit war; die Methode entsprang vielmehr seiner Überzeugung, daß im Geiste des Menschen die rechte Einsicht verborgen sei. Es handelt sich also nicht darum, die Weisheit gleichsam von außen heranzubringen, sondern nur sie ans Licht zu befördern und von anhaftendem Irrtum zu befreien. Auch diese Geburt ist, wie die eines Kindes, mühsam und schmerzhaft, auch sie erfordert kunstgerechte Hilfe. Darum sagt Sokrates öfters scherzend, seine Kunst sei die einer Hebamme und er habe sie von der Mutter ererbt.

Im einzelnen stellt sich die sokratische Methode als ein allmähliches Hinleiten zu immer besseren Antworten dar. Der Mitunterredner soll dabei seine Fehler selbst eingestehen, die Wahrheit aus eigener Einsicht finden. Es handle sich z. B. um die Frage, was ist Tapferkeit? Ein Mann, besonders wenn er schon im Felde dem Feinde gegenübergestanden hat, wird überzeugt sein, über diese Tugend Bescheid zu wissen. Drängt man ihn aber, seine Meinung darüber zu äußern, so wird er an einen ihm naheliegenden Fall denken und etwa antworten: Tapferkeit ist, wenn einer nicht aus der Schlacht fortläuft. Sokrates wird ihn dann darauf aufmerksam machen, daß es auch gegen ungerechte Ansprüche der Machthaber im eigenen Staate ein tapferes Verhalten gibt, daß man auch Krankheiten tapfer erdulden kann. Durch diese Einwände zwingt er seinen Unterredner dazu, einzugestehen, daß er nur ein *Beispiel*, keine *Erklärung* der Tapferkeit gegeben hat, und zu erkennen, daß es auf den *allgemeinen Begriff* der Tapferkeit ankommt. Dieser aber muß für alle Fälle zutreffen, in denen man mit Recht von Tapferkeit spricht. Der in allgemeinen Überlegungen ungeübte Gesprächsteilnehmer wird auf die so gestellte Frage zunächst nicht richtig antworten; dann muß sich sein Fehler im weiteren Verlaufe der Unterredung herausstellen. Hat sich so öfter die scheinbar treffliche Geburt seines Geistes als Fehlgeburt erwiesen, so führt das zu einer Erschütterung seines Selbstbewußtseins, zu jenem Wissen des Nichtwissens, das nach Sokrates die erste Stufe auf dem Wege zur Erkenntnis ist.

Auch sich selbst schreibt Sokrates nur das Wissen des Nichtwissens zu. Er fühlt sich den Schülern überlegen, sofern er die Notwendigkeit der Untersuchung eingesehen hat; in der Untersuchung aber stellt er sich mit ihnen auf eine Stufe. Da Meister und Jünger zusammen vom Irrtum zu höherer Einsicht fortschreiten, werden die Schüler zu Genossen im Suchen nach Wahrheit. Diese Haltung unterscheidet Sokrates von den Sophisten. Der Sophist will im Gespräch den Gegner einschüchtern, überlisten, lieber noch in zusammenhängender Rede glänzen – es kommt ihm darauf an, Eindruck zu machen, sich zur Geltung zu bringen. Sokrates will Liebe zur wissenschaftlichen Untersuchung wecken, damit zugleich Liebe zur Sache, zur ernsten Hingabe an eine überpersönliche Wahrheit. Er hat den erzieherischen Wert der Wissenschaft entdeckt. Wenn wir Knaben und Jünglinge, auch sofern sie nicht für die Wissenschaft bestimmt sind, durch Wissenschaft bilden, überzeugt, daß der Geist reinen Wahrheitstrebens ganz allgemein die innere Selbständigkeit und die Hingabe an die Sache um der Sache willen erzeugt, so wirken wir im Sinne des Sokrates. Sophistisch dagegen wird die Erziehung, sobald sie in den rasch mitgeteilten »Ergebnissen« fremden Forschens nur Mittel überliefert, zu glänzen und sich durchzusetzen.

Sokrates steckte sich also das Ziel, zu einer genauen Begriffsbestimmung zu gelangen, und benutzte als Mittel dazu Gespräche, die von der gewöhnlichen unklaren Vorstellungsweise des ungebildeten Durchschnittsatheners oder von dem auf Verblüffung abzielenden Geschwätz des neumodischen, halbgebildeten Sophistenschülers ausgingen. Da jeder Schritt auf diesem Wege nur mit Zustimmung des Mitunterredners gemacht wird, hat sich dieser am Schluß keine fremde Weisheit angeeignet, sondern aus sich selbst heraus eine Einsicht errungen.

Absicht und Inhalt seiner Gespräche

Weil es Sokrates mehr darauf ankam, die rechte Gesinnung und den Willen zur Wahrheit zu wecken als bestimmte einzelne Wahrheiten einzuprägen, schlossen seine Gespräche oft mit einer Frage ab. Doch läßt sich die Richtung, in der die Wahrheit liegt, fast immer erkennen. So dürfte man kaum irren, wenn man die sokratische Definition der Tapferkeit in dem Satze sieht, sie sei die richtige Einsicht in das, was man fürchten und was man nicht fürchten soll. Man kann sich an diesem Falle den wesentlichen *Inhalt* der sokratischen Weisheit klar machen. Es ist zunächst nicht zufällig, daß der Begriff einer menschlichen Tugend als Beispiel gewählt wurde, bildet doch die Untersuchung sittlicher Eigenschaften durchaus den Kern des sokratischen Strebens. Aus seiner Stellung zum Leben ist das unmittelbar verständlich: er will nur das untersuchen, was dem Menschen dazu verhilft, sein Leben in rechter Weise zu führen. Zugunsten dieser Beschränkung auf das eine, das not tut, wendet er sich gegen die Bemühungen um Erkenntnis der körperlichen Natur. Wir dürfen indessen in dieser Ablehnung der Naturphilosophie nicht *nur* die Folge seines praktischen Bestrebens sehen, sondern müssen zugleich daran erinnern, daß Sokrates *sicheres* Wissen suchte, solches aber in den Anfängen der Naturphilosophie nirgends zu finden war. Vielmehr lagen hier verschiedene Vermutungen miteinander in einem Streite, der sich, wie es schien, nicht schlichten ließ.

Glücklicherweise glaubte er diese unfruchtbaren Wortkämpfe zugleich als unwichtig ablehnen zu dürfen. Wichtig sind für den Menschen die Begriffe, nach denen er sein Handeln zu regeln hat. Diese kann er in sich selbst finden, und darum machte Sokrates die alte Mahnung: »Erkenne dich selbst« zu seinem Wahlspruch. Wie Protagoras, so ging auch Sokrates vom Menschen aus. Beiden ist der Mensch das wichtigste, und in gewissem Sinne könnte Sokrates sogar den Spruch des Protagoras, der Mensch ist das Maß aller Dinge, zugeben. Trotzdem besteht der entschiedenste Gegensatz zwischen ihnen. Protagoras denkt, wenn er jenen Satz ausspricht, an die wechselnden Zustände, Launen und Neigungen, die bei jedem Menschen andere sind und auch bei demselben Menschen mit der Zeit wechseln. Sokrates dagegen sucht im Menschen die *Vernunft*, die nicht wechselt und nicht bei einem Menschen anders als beim andern ist. Wo echtes Denken beginnt, hört die Verschiedenheit zwischen den Denkenden auf. Man kann sich das an der allereinfachsten Aufgabe, an einem leichten Rechenexempel etwa, klar machen. Wenn ich frage, wieviel ist 5 mal 7, so führt Sie alle Ihr Nachdenken zum gleichen Ziele. Da Sie rechnen können, wissen Sie, daß die richtige Antwort 35 ist. Sollte jemand die Laune haben, dieses Resultat einmal anders zu wünschen, so würde ihm das nichts helfen, und wer etwa eine andere Zahl herausbekäme, dem würde niemand sagen: Das scheint dir so, also ist für dich $5 \times 7 = 32$, sondern jeder würde ihm zurufen: Du irrst dich. So finden wir in uns in der Tat ein allen gemeinsames Denken, das bei geeigneter Ausbildung Wahrheiten zu erkennen vermag.

Aus diesem Denken entspringt nach Sokrates auch die Sittlichkeit. Sittlich handeln bedeutet, den Aussprüchen des Denkens, der Vernunft folgen. Nunmehr können wir die Erklärung der Tapferkeit verstehen. Tapferkeit ist die richtige Einsicht in das, was man fürchten und was man nicht fürchten soll. Der wahrhaft Tapfere weiß, daß es Dinge gibt, die mehr zu fürchten sind als der Tod: Unrecht tun, seine Pflicht verletzen, in Widerstreit mit sich selbst geraten. Hat er nur die Wahl zwischen Unrecht und Lebensgefahr, so nimmt er in voller Erkenntnis das Wagnis auf sich. Denn Tapferkeit, d. h. eine Tugend, darf nicht mit Tollkühnheit verwechselt werden, die sich blind und grundlos in Gefahr begibt und keineswegs Lob verdient. Der Tapfere weiß auch, daß man unter Umständen die Pflicht hat, sein Leben zu erhalten. Wenn etwa ein Heerführer, an dessen Feldherrnbegabung der Sieg hängt, sich den

Kugeln aussetzt, handelt er nicht tapfer; er muß sich schonen, muß sogar tapfer genug sein, den Verdacht der Feigheit zu ertragen, wenn er weiß, daß sein Tod für die von ihm vertretene Sache am meisten zu fürchten wäre. Soweit werden Sie die Begriffsbestimmung leicht zugeben. Aber daß Tapferkeit Einsicht sein soll, wird Ihnen nicht recht einleuchten. Sie alle kennen gewiß Menschen, die weit vom Schuß sehr gut wissen, was sie fürchten und nicht fürchten sollen, aber doch, wie man zu sagen pflegt, kein Pulver riechen können. Sokrates hat in der Tat übersehen, daß die bloße Einsicht den Menschen noch nicht die Kraft des richtigen Handelns gibt. Was hier als eine Lücke seiner Erkenntnis zugestanden werden muß, geht aber aus der Größe seines Charakters hervor. In ihm war die Vernunft zur lebenbestimmenden Kraft geworden; dem Erkannten zu widerstreben war ihm unmöglich, daher verstand er unter Einsicht oder Wissen etwas, was den ganzen Menschen durchdringt. Wer nicht nach seiner Erkenntnis handelt, beweist eben damit, daß er im Sinne des Sokrates keine Erkenntnis besitzt.

Sokrates hat nie eine zusammenfassende Darstellung seiner Lehre gegeben, im Gegenteil hätte er sicher jede derartige Bemühung als seiner Absicht widerstrebend abgelehnt. Trotzdem will ich jetzt, nachdem wir Art und Ziel seiner Lebensarbeit kennen gelernt haben, versuchen, ihr gedankliches Ergebnis in einige Sätze zusammenzufassen. Was die Menschen gewöhnlich für Wissen halten, ist kein Wissen, nur ein unsicheres Meinen. Wer etwas weiß, der muß begriffliche Rechenschaft über das Gewußte ablegen können. Eine Vorstufe des Wissens ist, zu wissen, daß man nichts weiß; denn damit hat man ja bereits erkannt, daß die gewöhnliche unklare Meinung, der man bisher folgte, auf einem Scheinwissen beruht, und beginnt nun einzusehen, wodurch wahres Wissen sich von Scheinwissen unterscheidet. Erkennt man zum Beispiel, daß es falsch ist, auf die Frage nach dem Wesen eines allgemeinen Begriffes mit einem einzelnen Falle, der unter diesen Begriff gehört, zu antworten, so besitzt man die wichtige Unterscheidung des Begriffes von seinen Beispielen und Anwendungen und kennt zugleich in der Allgemeinheit eine wesentliche Anforderung an jede wissenschaftliche Definition. Es ist unmöglich, einen Irrtum als Irrtum zu durchschauen, ohne damit zugleich eine Wahrheit zu erkennen.

Vernunft und Sittlichkeit

Da die Wahrheit unserm vernünftigen Denken innewohnt, so muß sie sich wenigstens in den für die Menschen wichtigsten Angelegenheiten auch gewinnen lassen. Denn wesentlich ist für uns die Erkenntnis derjenigen Begriffe, die unser Handeln zu leiten bestimmt sind. Diese aber müssen der uns allen gemeinsamen Vernunft entnommen werden. *Tugend ist Einsicht*, nach ihr streben ist die Aufgabe *jedes* Menschen. Die anderen durch seine beunruhigenden Gespräche zu diesem Streben anzuregen und ihnen den rechten Weg zu weisen, ist der *besondere* Lebensberuf des *Sokrates*.

Hieraus können wir folgern, wie Sokrates zu der überlieferten Sitte und Religion stehen muß. Da nur ein von der Einsicht geleitetes Handeln mit Sicherheit das Rechte ergreift, so kann er in dem blinden Befolgen überlieferter Lebensweisen nicht die wahre Tugend erblicken. Sieht man doch oft, daß sonst treffliche Menschen in schwierigen Fällen ratlos dastehen, daß Männer, die selbst aus einem gewissen Naturinstinkt heraus ihre eigenen und ihres Staates Angelegenheiten aufs beste besorgen, unfähig sind, ihre Kinder zu gleicher Tüchtigkeit zu erziehen. Dabei erkennt Sokrates durchaus an, daß inhaltlich in der Vätersitte, wie in der Muttersprache, viel Wahres überliefert ist; nur sollen wir diese Wahrheit einsehen, nicht blind der Überlieferung folgen. Bei aller Freiheit des Denkens bleibt Sokrates ein pietätvoller Athener. Vor allem aber fordert er Gehorsam gegen bestehende Gesetze, solange sie bestehen, selbst wenn man aus guten Gründen ihre Änderung wünscht. Denn Gesetzlosigkeit ist unter allen Umständen ein Übel. Den heimischen Göttern ist er ergeben, wenn er auch, wie viele Zeitgenossen, die überlieferten Göttergeschichten im Sinne seiner reineren Sittlichkeit umdeutet. So befindet sich Sokrates, bei vielen Übereinstimmungen im einzelnen, doch im Grunde im entschiedensten Gegensatze gegen die Verteidiger des Alten. Jene fordern Gehorsam gegen die alte Sitte, weil die Sieger in den Perserkriegen ihr gefolgt sind. Sokrates prüft kühl und nüchtern auch die Grundsätze der Vorfahren und folgt ihnen nur, soweit sie vor seiner Vernunft standhalten. Politisch richtet sich sein Verlangen eines Handelns aus Einsicht in einem wichtigen Punkte gegen die demokratische Verfassung Athens. Hier waren alle Ämter allgemein zugänglich und wurden durch Volkswahl oder Auslosung besetzt. Sokrates dagegen forderte, daß in jeder Sache der Sachverständige allein entscheide.

Prozeß

Diese Gegensätze muß man kennen, um das Schicksal des Sokrates zu verstehen. Im Peloponnesischen Kriege war Athen besiegt worden, und das siegreiche Sparta hatte eine kleine Gruppe ihm ergebener Aristokraten zu Herrschern eingesetzt; diese schalteten aber so willkürlich, daß sie bald durch zurückkehrende verbannte Demokraten gestürzt wurden. Naturgemäß trat nun eine Reaktion ein, die sich nicht nur gegen die von den Feinden aufgedrungene Verfassung, sondern, da mehrere der Gewalthaber Sophistenschüler oder Freunde des Sokrates gewesen waren, zugleich gegen die moderne Bildung richtete. Sokrates galt vielen als Sophist, er verkehrte in aristokratischen Kreisen und war daher, obwohl er sich ungerechten Anforderungen der gestürzten Regierung mannhaft widersetzt hatte, verdächtig. Persönliches Übelwollen gegen ihn, das diesen Verdacht ausnützte, konnte nicht fehlen. Wenn man sein Leben lang den Leuten zeigt, daß sie nichts wissen, und angemaßte Weisheit ihres Prunkes entblößt, so schafft man sich Feinde. Persönliche Feindschaft und sachlicher Gegensatz dürften bei denen zusammengewirkt haben, die den siebzigjährigen Mann im Jahre 399 v. Chr. anklagten, daß er die väterlichen Götter nicht anerkenne, neue dämonische Wesen einführen wolle und die Jugend verführe.

Die Richter wurden in Athen aus allen Bürgern ausgelost und waren sehr zahlreich; über Sokrates saßen wahrscheinlich 501 zu Gericht. Vor einer solchen Menge, zumal von leicht erregbaren Südländern, wirkt die Beredsamkeit. Sokrates' Sache stand zunächst nicht schlecht: sein Leben war öffentlich und durchsichtig; mochte man sich oft genug über ihn geärgert haben, man wußte, daß er unsträflich gehandelt, die Bürgerpflichten erfüllt und den Kultus der Götter geehrt hatte. Aber die Richter waren gewohnt, daß der Angeklagte durch Redekünste Eindruck auf sie machte und demütig ihr Mitleid anflehte. Sokrates verschmähte das; denn er war überzeugt, daß es viel schlimmer sei, etwas zu tun, was man für Unrecht hielt, als zu sterben. Darum redete er schlicht und stolz. Er habe die Götter immer geehrt und die Jünglinge zur Selbstprüfung und Einsicht erziehen wollen. Die Anklage beruhe auf dem Haß, den seine Gespräche, sein von dem delphischen Gott ihm übertragener Beruf ihm zugezogen habe. Diese ungewohnte Art sich zu verteidigen führte zu einer Verurteilung mit geringer Mehrheit. Nach Entscheidung der Schuldfrage mußte die Strafe bestimmt werden, wobei die Richter nach athenischem Rechte nur die Wahl zwischen den Anträgen der Ankläger und des Angeklagten hatten. Da die Anklage auf Tod lautete, hätte der Angeklagte in seinem Interesse eine nicht zu milde Strafe, etwa Verbannung, beantragen müssen. Statt dessen erklärte Sokrates, er sei nicht schuldig und könne sich daher keine Strafe zuerkennen. Im Gegenteil sei er, da er sein ganzes Leben der Besserung seiner Mitbürger gewidmet habe, der höchsten Ehre, der Speisung im Rathause, würdig. Verbannung, an die die Richter etwa denken könnten, sei für ihn schlimmer als Tod, da sie ihn hindern würde, seinen Beruf auszuüben. Um doch dem Gesetze Genüge zu tun, beantrage er eine Geldstrafe, die er zwar nicht aus eigenen Mitteln aufbringen, aber doch von Freunden erhalten könnte. Diesen Antrag müssen die Richter als Verhöhnung empfunden haben; denn die Verurteilung zum Tode erfolgte mit größerer Mehrheit als der erste Spruch.

Zufällig war damals gerade eine Festzeit, während deren keine Hinrichtung vollzogen werden durfte. Sokrates wurde daher ins Gefängnis geführt und durfte sich dort mit seinen Freunden in gewohnter Weise unterreden. Man bewachte ihn nicht streng; Freunde suchten und fanden Mittel, ihm die Flucht zu ermöglichen. Aber er lehnte es ab zu fliehen, da man nach seiner Überzeugung einem gesetzmäßig gefällten Urteilsspruch gehorchen müsse, auch wenn man ihn für sachlich falsch halte. Denn Ungehorsam gegen die

Gesetze führe zum Untergange des Staates. So trank er, als der Termin gekommen war, den Schierlingsbecher, wie das Gesetz es befahl. Seine letzten Stunden hat *Platon* in seinem Gespräche *Phädon* der Nachwelt erhalten; er läßt Phädon, einen Lieblingsjünger des Sokrates, der am Schicksalstage bei ihm im Gefängnis weilte, erzählen, was er damals erlebt hat. Den Schluß dieser Schilderung will ich Ihnen nicht vorenthalten:[1]

Tod

»Nach diesen Worten begab sich Sokrates in ein Gemach, um zu baden, und Kriton folgte ihm; uns aber hieß er warten. Wir warteten also, redeten miteinander über das Gesagte und überdachten es; dann aber versenkten wir uns wieder in das Unglück, das uns getroffen hatte, wir fühlten nicht anders, als daß wir, des Vaters beraubt, unser künftiges Leben als Waisen hinbringen müßten. Nach dem Bade wurden seine Kinder zu ihm gebracht – denn er hatte zwei kleine Söhne und einen großen –, und die ihm verwandten Frauen kamen. Er unterhielt sich mit ihnen in Gegenwart des Kriton, trug ihnen seinen Willen auf, hieß dann Weiber und Kinder gehen und kam selbst zu uns. Es nahte schon die Stunde des Sonnenuntergangs, denn er hatte lange Zeit drinnen verbracht. Nach seiner Rückkehr vom Bade setzte er sich und hatte noch nicht viel geredet, da kam der Diener der Elf[2], trat zu ihm und sagte: ›Sokrates, an dir werde ich nicht dasselbe erleben, wie an andern, die mir zürnen und mich verfluchen, wenn ich sie auf Befehl der Behörden auffordere, das Gift zu trinken. In dir habe ich während dieser ganzen Zeit den edelsten, freundlichsten und besten Mann von allen, die je hierher gekommen sind, kennengelernt; auch jetzt weiß ich wohl, wirst du nicht mir zürnen, sondern den Schuldigen, die du ja kennst. Du weißt, was ich dir anzukündigen habe, also lebe wohl und versuche, das Notwendige möglichst leicht zu tragen.‹ Tränen in den Augen wandte er sich ab und ging. Und Sokrates sah ihm nach und sagte: ›Auch du lebe wohl, ich werde es so machen.‹ Und zugleich sagte er zu uns: ›Wie fein ist der Mensch! Die ganze Zeit über kam er zu mir und unterhielt sich zuweilen mit mir und war gut gegen mich, und jetzt beweint er mich so aufrichtig. Aber wir, Kriton, wollen ihm nun folgen, und es mag einer das Gift bringen, wenn es bereitet ist, sonst aber es bereiten.‹ Und Kriton sagte: ›Ich meine doch, Sokrates, daß die Sonne noch auf den Bergen liegt und nicht untergegangen ist; auch weiß ich, daß andere erst lange, nachdem es ihnen befohlen war, getrunken haben. Vorher aßen und tranken sie gut und hatten zuweilen noch die Schönen bei sich, die sie gern hatten. Übereile dich nicht, es ist noch Zeit.‹ Und Sokrates sagte: ›Lieber Kriton, die Männer, von denen du redest, haben ganz recht getan, denn sie glaubten etwas damit zu gewinnen; ebenso aber habe ich recht, wenn ich anders handle. Denn ich glaube nichts zu gewinnen, wenn ich etwas später trinke, sondern nur vor mir selbst lächerlich zu werden, indem ich am Leben klebe und mit Augenblicken geize, die nicht mehr mein sind. Geh also, folge mir, lasse alles andere.‹ Als dies Kriton hörte, winkte er einem Sklaven, der in der Nähe stand. Der Sklave ging hinaus und nach einiger Zeit kam er wieder mit dem Manne, der den Trank reichen wollte und ihn fertig in einem Becher brachte. Als Sokrates den Mann sah, sagte er: ›Nun, Bester, du weißt damit Bescheid. Was soll ich tun?‹ ›Nichts weiter,‹ sagte der, ›als nach dem Trinken umhergehen, bis dir die Beine schwer werden, dann dich hinlegen. So wird es wirken.‹ Damit reichte er Sokrates den Becher. Der nahm ihn und sagte ganz heiter, ohne zu zittern, ohne Farbe oder Gesichtszüge zu verändern, nach seiner Gewohnheit das Auge fest auf den Mann gerichtet: ›Was meinst du? Darf man von diesem Tranke den Göttern opfern oder nicht?‹ ›Wir bereiten‹, antwortete jener, ›nur gerade das genügende Maß zum Trinken, Sokrates!‹ ›Ich verstehe,‹ sagte dieser, ›aber beten zu den Göttern darf und soll man, daß die Wanderung von hier nach dort glücklich verlaufe. Darum bitte ich, und so möge es geschehen.‹ Während er das sagte, setzte er den Becher an und trank ganz leicht und heiter aus. Die meisten von uns waren bis dahin imstande gewesen, die Tränen zurückzuhalten; als wir aber sehen mußten, wie er trank und ausgetrunken hatte, nicht mehr; mir selbst stürzten mit Gewalt die Tränen in Strömen aus den Augen, so daß ich mir das Gesicht verhüllte und mich ausweinte – nicht um seinetwillen, sondern meines Geschickes wegen, daß ich solch eines Freundes beraubt sein sollte. Kriton aber war noch vor mir, da er die Tränen nicht zurückhalten konnte, aufgestanden. Apollodor hatte schon lange unaufhörlich geweint, jetzt schluchzte er auf, schrie und klagte, so daß keiner von den Anwesenden ohne Tränen blieb außer Sokrates selbst. Der sprach: ›Ihr seltsamen Menschen, was macht ihr? Ich habe doch hauptsächlich deswegen die Frauen weggeschickt, damit sie nicht solche Störung verursachen, denn ich habe gehört, es müsse Friede um einen Sterbenden sein. Seid stille und faßt euch!‹ Als wir das hörten, schämten wir uns und hörten zu weinen auf. Er aber ging umher, bis, wie er sagte, die Beine ihm schwer wurden, dann legte er sich lang auf den Rücken hin, wie der Mann ihm geheißen hatte. Und sogleich befühlte ihn der, der das Gift gereicht hatte, und betrachtete von Zeit zu Zeit die Füße und Schenkel; später drückte er ihn stark am Fuß und fragte, ob er es spüre; Sokrates sagte, nein. Dann machte er es ebenso mit den Unterschenkeln, und so, weiter hinaufgehend, zeigte er uns, wie er kalt und starr wurde. Und er berührte ihn wieder und sagte, wenn es zum Herzen käme, würde es aus mit ihm sein. Als Sokrates nun am Unterleib schon ziemlich kalt war, schlug er das Gewand vom Antlitz zurück (denn er hatte sich verhüllt) und sagte – es waren seine letzten Worte –: ›Kriton, wir schulden dem Asklepios einen Hahn![3] Opfert ihn und versäumt es nicht!‹ ›Das wird geschehen,‹ sagte Kriton, ›aber sieh, ob du noch etwas zu sagen hast.‹ Darauf antwortete er nicht mehr, sondern zuckte nur nach einiger Zeit noch; dann deckte ihn der Diener auf, da waren seine Augen gebrochen. Als

Kriton das sah, drückte er ihm Mund und Augen zu.

Das war das Ende unseres Freundes, nach unserem Urteil des besten Mannes unter allen Zeitgenossen, des einsichtsvollsten und gerechtesten.«

Sokrates
Nach einer Marmorbüste in Villa Albani in Rom

Zweiter Vortrag.
Platon.

Nach dem Tode des Sokrates waren seine Schüler auf sich selbst angewiesen. Sie fühlten sich verwaist, nun der Mann nicht mehr lebte, in dem die Philosophie gleichsam sich verkörpert hatte. Sein Leben und sein Tod waren in jedem Zuge durch seine Lehre bestimmt, aber sie bildeten auch die einzigen Darstellungen, die es von dieser Lehre gab. Denn Schriften hinterließ Sokrates nicht, der vom lebendigen Wort eine so hohe, vom toten Buch eine sehr geringe Meinung hatte. Da nun der Meister selbst dahin war, blieb den Jüngern nichts übrig, als die Erinnerung an ihn und seine Gespräche durch schriftliche Wiedergabe festzuhalten.

Gerade weil sie in Sokrates die Philosophie selbst erblickten, gingen sie an diese Aufgabe nicht als Geschichtschreiber, die genau bestimmen möchten, was Sokrates bei der oder jener Gelegenheit gesagt oder getan hat, sondern als Philosophenschüler, die den Geist des Meisters, wie er in ihnen lebte, festhalten und anderen mitteilen wollten. Nicht die Einzelheiten seines Lebens waren für sie von Bedeutung, sondern daß Sokrates sein ganzes Leben dem Denken gewidmet und durch das Denken bestimmt und daß er sie, die Schüler, zu Philosophen erweckt hatte. Sie fühlten Sokrates in sich lebendig und stellten ihn daher im Gespräche dar. Es konnte nicht ausbleiben, daß sie dabei auch eigene Gedanken dem Meister in den Mund legten. Da er sich verschiedenen Schülern verschieden gezeigt hatte, da sich im Kreis der Schüler entgegengesetzte Naturen fanden, erhielten diese Gespräche je nach ihrem Verfasser ein mannigfaltiges Gepräge. Wir besitzen die wichtigste Gruppe dieser Gespräche, die von Platon verfaßten, vollständig. Gerade weil Platon selbst ein genialer Denker und Künstler war, bildete er des Sokrates Lehren fruchtbar weiter. Oft ist es für uns schwer festzustellen, wo in diesen Gesprächen Sokrates aufhört und Platon anfängt.

Schon aus dem Gesagten geht hervor, daß Platon zu seiner Philosophie anders stand als Sokrates, daß er sie nicht mehr in seinem Leben, sondern in seinen Schriften darstellte. In gewissem Sinne allerdings bemüht sich jeder echte Denker, seinen Gedanken gemäß zu leben; aber bei Sokrates hatte es mit der Einheit von Leben und Lehre noch eine besondere Bewandtnis. Seine Philosophie bestand im Grunde in seiner Art zu leben und zu sterben. Platon aber war Dichter; er legte ein Bild des philosophischen Lebens, wie es ihm vorschwebte, in Schriften von wunderbarem Reize nieder. Eine Probe davon gab ich Ihnen in der Schilderung von Sokrates' Tod. Dieser Bericht legt ebensosehr Zeugnis ab für die *persönliche Größe* des Sokrates wie für die *dichterische Größe* des Platon.

Wir müssen uns klar machen, daß die Philosophie hier einen Schritt vom unmittelbaren Leben abrückt. Darin liegt ein wichtiger Gewinn. In Gesprächen auf dem Markte kann man den richtigen Weg des Forschens weisen; will man aber eine zusammenhängende Reihe von Wahrheiten entwickeln, so braucht man die Stille langen Grübelns und einsamer Überlegung. Indessen, mit diesem notwendigen Fortschritt ist ein Verlust innig verbunden. Das Denken gewinnt an Umfang und Tiefe, aber es verliert viel von seiner unmittelbaren Wirkung. Es gibt keinen Fortschritt der Entwicklung ohne Verlust. Der Knabe, der zum Jüngling heranwächst, gewinnt an Einsicht und Willenskraft, aber die Zutraulichkeit des Kindes, der glückliche unmittelbare Genuß der Gegenwart, der Zauber unberührter Reinheit muß schwinden. Der Mann ist dem Jüngling durch Reife des Urteils, durch Umsicht und Folgerichtigkeit überlegen. Doch das Feuer in Liebe und Haß ist verkühlt, die edle Leidenschaftlichkeit und Geradheit des echten Jünglings hat sich anpassen gelernt. Wer ein rechter Mann ist, will nicht wieder Jüngling oder Kind werden, aber er weiß, was er verloren hat, und sucht deshalb den Umgang mit Jüngeren. Aus demselben Grunde muß die Menschheit Geschichte treiben. Auch sie hat im Weiterschreiten viel Wertvolles unwiederbringlich verloren, so auch jene ursprüngliche Einheit von Leben und Denken. Als Ersatz für diesen Verlust soll uns die Versenkung in das Altertum dienen, nicht etwa dazu, uns an dem zu weiden, was die Alten nicht konnten, und uns zu brüsten, wie wir es so herrlich weit gebracht.

Leben

Platon war Dichter und Lehrer; das wahre Leben des Dichters liegt in seinen Werken, das des Lehrers in seinem Unterricht – die Bedeutung der äußeren Lebensverhältnisse tritt zurück. Ich will Ihnen davon nur mitteilen, was für das Verständnis seiner Lehre wichtig ist. Platon wurde als Sohn einer Aristokratenfamilie Athens – wir wissen nicht genau, ob 428 oder 427 – geboren. Seine Kindheit fällt also in die Zeit des Peloponnesischen Krieges; die eigentliche Blütezeit Athens kannte er nur durch Erzählungen und Überlieferungen. Der Kampf gegen Sparta, der Hader der Parteien im Innern, das waren seine Jugendeindrücke. Die nächsten Verwandten Platons waren Gegner der bestehenden Demokratie, zum Teil der Verbindung mit dem Landesfeinde verdächtig. Auch Kritias, der Führer der nach dem Frieden von Sparta eingesetzten Regierung, gehörte zu seiner Familie. Seiner Herkunft gemäß strebte der hochbegabte Jüngling nach politischer Wirksamkeit. Aber die bedenklichen Mittel, deren die Parteien sich bedienten, stießen ihn ab. Die aristokratische Gesinnung seiner Verwandten teilte er, die Ungerechtigkeit jedoch, mit der Kritias seine Gegner verfolgte, widerstrebte ihm aufs tiefste. Seine dichterische Begabung trieb ihn dazu, Tragödien zu schreiben; aber er vernichtete diese Versuche, als er zwanzigjährig von Sokrates gewonnen wurde. Dies Ereignis entschied über sein Leben. Sehr oft ist für einen Menschen etwas wesentlich, was von außen ganz unscheinbar aussieht; ein Buch, ein Gespräch können unserm Leben eine neue Wendung geben. So bedeutete es z. B. für Platons Entwicklung weniger, daß die Stadt den Feinden zum Opfer fiel und daß nahe Verwandte von ihm wegen einer Verschwörung hingerichtet wurden – seinen Beruf fand er, als er den wunderlichen Menschen, der sich auf den Gassen herumtrieb, kennenlernte, als Sokrates ihn unter die Zahl seiner Freunde aufnahm. Er lebte mit ihm acht Jahre lang, bis zu Sokrates' Tode.

Durch den gewaltigen Eindruck dieses Ereignisses wurde Platon von der Teilnahme am politischen Leben Athens vollends abgeschreckt. Was sollte er noch von einer Stadt hoffen, die ihren edelsten Bürger zum Tode verurteilte? Der Verteidigung und dem Ruhm des Sokrates widmete er seine ersten Schriften. Dann begab er sich auf eine große Reise nach Ägypten, Cyrene, Sizilien, Unteritalien. Dort in den blühenden Städten Großgriechenlands lernte er die mathematische Wissenschaft genauer kennen, die in der Philosophenschule der Pythagoreer eifrig gepflegt wurde.

Nach seiner Rückkehr begann er seine Lehrtätigkeit, aber nicht mehr wie Sokrates auf dem Markte, sondern anfangs im Gymnasium des Akademos, später in einem nahe dabei gelegenen Garten, den er kaufte. Ein Gymnasium war eine Anstalt, in der Knaben und Jünglinge nackt turnten und rangen; es diente aber vielfach zugleich als Versammlungsort für andere Zwecke, auch die Sophisten und Sokrates hatten oft in Gymnasien gelehrt. Platons Schule in seinem Garten beim Gymnasium des Akademos ist für uns das Urbild einer Vereinigung zu wissenschaftlichen Zwecken. Daher ist der Name Akademie zur allgemeinen Bezeichnung geworden, ähnlich wie der Name Cäsar im Kaisertitel fortlebt.

Das stille, der Forschung und Lehre gewidmete Leben des Philosophen wurde durch zwei neue Reisen nach Sizilien unterbrochen. Platon unternahm sie, weil er bei dem Tyrannen Dionys von Syrakus, dem Herrscher der mächtigsten Stadt Siziliens, mit Hilfe seines Verwandten *Dion*, der Platons Schüler und Freund geworden war, seine politischen Gedanken zu verwirklichen hoffte. Er erlebte beide Male eine schwere Enttäuschung und verzichtete seitdem auf jede unmittelbare politische Wirksamkeit. Bis zuletzt wissenschaftlich tätig, starb er achtzigjährig im Jahre 348 oder 347.

Bei Sokrates darf man eigentlich nicht von einer Lehre reden, wenn man unter diesem Worte einen bestimmten Zusammenhang von Wahrheiten versteht. Vielmehr handelt es sich bei ihm um eine Grundüberzeugung, die in seinem Leben und in seinen Gesprächen Ausdruck findet. Auch Platons

Schriften sind keine Lehrbücher, wohl aber Untersuchungen in Gesprächsform; sie streben danach, ein zusammenhängendes Ganzes der Erkenntnis aufzubauen. Dieses Verhältnis muß man berücksichtigen, wenn man Platons Fortbildung sokratischer Gedanken verstehen will.

Sokrates ist überzeugt, daß es eine Wahrheit gibt und zeigt den Sophisten, daß sie selbst Wahrheiten voraussetzen. Platon *beweist* diesen Satz streng. Gäbe es keine Wahrheit, so wäre ja auch der Satz, es gibt keine Wahrheit, unwahr. Nun behauptet aber der Gegner diesen Satz. Er behauptet also gleichzeitig, daß es keine Wahrheit gibt und daß der Satz, es gibt keine Wahrheit, wahr sei. Damit aber bejaht und verneint er dasselbe in demselben Satze, seine Voraussetzung ist widerspruchsvoll.

Wahrheit

Es entsteht nun aber sofort die weitere Frage, wie findet man die Wahrheit? Auf diese Frage hatte schon Sokrates geantwortet, daß das Denken allein Sicherheit gewährt. Platon vertieft und begründet diese Ansicht, indem er die Lehre des Protagoras von der Sinnesempfindung hinzuzieht. Protagoras hatte gezeigt, daß verschiedene Menschen dasselbe Ding verschieden sehen. Auch zu verschiedenen Zeiten wirkt eine Farbe, ein Ton, ein Geschmack sehr verschieden auf denselben Menschen. Daraus hatte er geschlossen, daß es keine für alle und zu allen Zeiten gültige Wahrheit gebe. Platon stimmt der *Voraussetzung* durchaus zu, bestreitet jedoch die *Folgerung*. Er schließt vielmehr: Da es *Wahrheit gibt*, und da sie in der *Sinnesempfindung nicht liegt*, so muß sie auf anderem Wege gefunden werden. Wir können, um seine Antwort zu verstehen, von der Sinneswahrnehmung selbst ausgehen. Wohl sieht man einen Tisch sehr verschieden je nach der Stellung des Kopfes zum Tisch, wohl wirkt die Farbe der Tischplatte in veränderter Umgebung ganz anders, trotzdem aber bezweifeln wir nicht, daß wir es in allen Fällen mit demselben Tische zu tun haben. Niemand zögert, den Tisch als ein Ding, das sich gleichbleibt, anzuerkennen, auch wenn er dem Auge verschiedene Bilder bietet. Können wir nun aber eigentlich sagen, daß wir dieses Ding, den Tisch, *sehen*? Doch wohl nicht. Wir sehen strenggenommen nur wechselnde Farben und Umrisse, fassen sie aber als einem gleichbleibenden Gegenstande zugehörige auf. Wenn wir weiter irgendwelche wahre Sätze von diesem Gegenstand aussagen, etwa: Dies ist ein Tisch, dieser Tisch ist viereckig, braun, größer als jener andere Tisch, so überschreiten wir noch viel deutlicher den bloßen Inhalt unserer Sinnesempfindung. Wir vergleichen in jedem dieser Sätze den Tisch mit anderen Gegenständen; denn sogar wenn wir ihn einfach braun nennen, erhält diese Farbenbezeichnung ihren Sinn nur durch Vergleichung mit anderen Farben. Die Bezeichnung viereckig beruht auf einer Zählung und zählen ist sicher etwas ganz anderes als Sehen oder Hören. Also: schon in den wahren Sätzen, die sich auf ein einzelnes eben vor uns stehendes

Ding beziehen, liegt viel mehr vor als bloße Empfindung. Die Fähigkeit aber zu solchen Tätigkeiten, wie Vergleichen, Zählen, zur Einheit eines Dinges Zusammenfassen, nennen wir Verstand und können demnach sagen: schon was aus der schwankenden Empfindung ein Erkennen macht, ist der Verstand. Wollen wir weiter den Unterschied bestimmen, der zwischen den Empfindungen und den Erzeugnissen des Verstandes besteht, so sehen wir leicht, daß jede Empfindung (Farbe, Ton, Geruch) ein einzelnes Erlebnis ist, das entsteht und vergeht, während die durch den Verstand gewonnenen Bestimmungen, wie braun, viereckig, auf viele Empfindungen anwendbar, d. h. allgemein sind. Der Verstand geht also auf das Allgemeine oder, um nun die dem Philosophen geläufigen Worte einzuführen, er sucht aus den einzelnen Erlebnissen den *allgemeinen Begriff* zu gewinnen. Im gewöhnlichen Leben begnügt sich aber der Mensch, wenn er Worte wie Tisch gebraucht, mit einer sehr unbestimmten allgemeinen Vorstellung. Es ist daher die erste Aufgabe des wissenschaftlichen Denkens, diese unbestimmte Vorstellung klar und durchsichtig zu machen. Es gibt mannigfaltige Tische: runde und viereckige – auf einem, auf vier Beinen stehende, an der Wand befestigte Tische – Schreibtische, Ladentische, Eßtische usw. Was ist das ihnen allen Gemeinsame, das uns veranlaßt, hier doch überall das Wort Tisch zu gebrauchen? Zunächst ist alles, was wir im eigentlichen Sinne des Wortes Tisch nennen, ein von Menschen zu bestimmten Zwecken benutzter Gegenstand. Durch die Art seines Zweckes unterscheidet er sich von anderen Gebrauchsgegenständen. Wir können dann sagen: ein Tisch ist ein Gegenstand, der von Menschen zu dem Zwecke verfertigt ist oder benutzt wird, anderen Dingen während des Gebrauchs, auch vor oder nach dem Gebrauch, zur Unterlage zu dienen. Diese Erklärung gibt das allen Tischen Gemeinsame, den Begriff des Tisches. Diesen Begriff, aus dem wir erschließen, ob etwas ein Tisch ist, ob ein gegebener Tisch seinen Zweck gut oder schlecht erfüllt, *sehen* wir nicht, wir *erzeugen* ihn vielmehr in unserm *Denken*. Auch der Schreiner könnte keinen Tisch herstellen, wenn der Begriff des Tisches nicht in seinem Geiste läge. So kam Platon dazu, den *Begriff, nicht aber die sinnlich erfaßbaren einzelnen Dinge*, die wir als Exemplare (Beispiele) des Begriffs bezeichnen, *für das eigentlich Erkennbare zu halten.* Er war ferner überzeugt, daß unser Erkennen das wahre Wesen der Dinge, die höhere Wirklichkeit hinter den wechselnden sinnlichen Bildern erfasse. Darum sind die Ideen – wie er die im Begriffe erfaßten Wesenheiten nennt – das eigentlich Wirkliche, während die sinnlich wahrnehmbaren Dinge nur ein *Widerschein* dieses Wirklichen sind. Da so nach Platons Überzeugung alles von den Ideen abhängt, bezeichnet man seine Philosophie als Ideenlehre.

Ideenlehre

Ich habe soeben versucht, Sie auf einem Wege, der für jeden gangbar ist, zu einem gewissen Verständnis der Ideenlehre zu führen. Indessen, dieser Weg eröffnet uns zwar einige Aussicht auf diese Lehre, führt aber nicht eigentlich in ihr Inneres hinein. Platon selbst hat die Mathematik, insbesondere die Geometrie für die wahre Vorschule der Philosophie erklärt. »Kein der Geometrie Unkundiger trete ein«, soll über dem Tor der Akademie gestanden haben. Ich muß für die unter meinen Hörern, welche wenigstens die Grundlagen der Mathematik kennen, die vorige Betrachtung im folgenden durch eine andere ergänzen.

Was an der Mathematik die Philosophen immer wieder mit fast magischer Gewalt anzieht, ist die Sicherheit ihrer Ergebnisse. Bei geometrischen Sätzen gibt es unter Kennern der Geometrie keinen Streit über wahr oder falsch. Wenn einmal bewiesen ist, daß die Winkelsumme des Dreiecks zwei Rechte beträgt, so steht das ein für allemal fest; wir wissen von vornherein, daß kein einzelnes Dreieck jemals unsere Erwartungen über seine Winkelsumme täuschen wird. Es ist ferner möglich, sobald einmal gewisse Grundsätze über Linien und Flächen anerkannt sind, eine Fülle räumlicher Gebilde wissenschaftlich zu beherrschen und eine Menge von Eigenschaften dieser Gebilde abzuleiten. Platon lebte in der Zeit, in der die uns vertrautesten geometrischen Sätze entdeckt wurden. Die Sicherheit dieser jungen Wissenschaft mußte gerade im Gegensatz zu dem zersetzenden Zweifel der Sophisten den tiefsten Eindruck auf ihn machen. Fragt man sich nun, wodurch ein geometrischer Satz sich von einer Aussage über wirkliche Dinge, z. B. »Hunde sind wachsam«, unterscheidet, so erkennt man, daß es die Geometrie gar nicht mit einzelnen Dreiecken oder Kreisen zu tun hat, sondern daß die gezeichnete Figur nur ein Hilfsmittel ist, sich die allgemeinen Eigenschaften des Kreises oder Dreiecks besser vorzustellen. Sage ich dagegen, Hunde sind wachsam, so denke ich an Phylax oder Nero; bei diesen und anderen habe ich mit der Hundenatur die Wachsamkeit verbunden angetroffen, ich vermute, daß diese Verbindung die Regel sein wird. Aber *ein* schläfriger Köter genügt, um die Allgemeinheit dieses Satzes anzufechten. Woran nun liegt es, daß wir in der Geometrie solchen Gefahren nicht ausgesetzt sind? Der Grund dieses Vorzugs besteht offenbar darin, daß wir hier der besonderen Erfahrungen nicht bedürfen, sondern daß, wenn einmal der Begriff eines Dreiecks wirklich erfaßt ist, aus unserem Geiste allein heraus die notwendigen Eigenschaften des Dreiecks sich finden lassen. Platon hat dafür in einem seiner Gespräche eine klassische Darstellung gegeben. Er bringt durch geschickt gestellte Fragen einen der Geometrie unkundigen Sklaven dahin, aus sich selbst heraus einen geometrischen Satz zu finden. Daraus schließt er dann weiter, daß also die geometrischen Begriffe schlummernden Erinnerungen gleich im Geiste jenes Sklaven wie jedes Menschen liegen und nur geweckt zu werden brauchen. Des Sokrates Hebammenkunst bekommt so eine tiefere

Begründung: sie erweckt die schlafenden Begriffe in unserem Geiste. Was die Geometrie mit den Figuren tut, eben das will Platon mit allen Begriffen und besonders mit den für uns wichtigsten, wie Tugend, Staat, Seele, tun: er will ihnen ihre ursprüngliche, gleichsam entschlafene Klarheit wiedergeben.

Wenn so die Ideen in unserem Geiste schlummern, wenn die ihnen entstammenden Erkenntnisse alle Erfahrungssätze an Sicherheit so weit überbieten, wie sind sie dann in unseren Geist gekommen? Hierauf gibt Platon eine seltsam scheinende Antwort. Er sagt, wir haben in einem früheren Leben, als die Seele noch nicht durch Verbindung mit dem Körper herabgezogen war, die Ideen selbst *geschaut*. Die dunkle Erinnerung an dieses vergangene Sehen befähigt uns allein dazu, aus den schwankenden, wechselnden Wahrnehmungen die gewöhnlichen Erkenntnisse zu gewinnen; so unsicher diese Meinungen sind, nicht einmal sie wären ohne jene Erinnerung möglich. Alle *wissenschaftliche* Erkenntnis aber besteht in einem *bewußten Wiedererwecken* jener Erinnerungen.

Idee und Welt

Die letzten Sätze zeigen bereits, daß Platon zu Untersuchungen geführt wird, die Sokrates abgelehnt hätte. Wenn die Seele vor ihrer Vereinigung mit dem Körper die Ideen selbst, unvermischt mit den Wahrnehmungen der Sinnesorgane, geschaut hat, so müssen diese Ideen also einerseits ein *gesondertes* Dasein haben, anderseits aber doch auch in den einzelnen wahrnehmbaren Dingen irgendwie *wirksam* sein. Infolge dieser doppelten Stellung der Ideen lassen sich die Fragen nach der Natur der körperlichen Dinge nicht mehr abweisen. Sokrates, der immer nur auf den einzelnen Fall seine Grundüberzeugung angewendet hatte, konnte sie vernachlässigen; Platon, der einer in sich zusammenhängenden Erkenntnis zustrebte, durfte es nicht mehr. Auch er will vor allem die Bestimmung des Menschen in der Welt erkennen, aber diese Frage schließt für ihn doch die andere in sich ein: was ist die Welt? Platons Antwort, daß sie ein getrübtes Abbild jener vorbildlichen Welt reiner Ideen ist, bereitet viele Schwierigkeiten, die der Denker selbst erkannt hat. Wie steht denn der allgemeine Begriff des Menschen, die Idee »Mensch«, zu Peter und Paul und den andren einzelnen Menschen? Platon hat diese Frage bald in streng begrifflichen Ausführungen, bald in Bildern mythologischer Art zu lösen gesucht. Aber alle diese Darstellungen, so bewundernswert sie uns seinen reichen und ringenden Geist offenbaren, geben neue Rätsel auf. Noch heute herrscht Streit über Platons eigentliche Meinung. Da zudem in diesen Ausführungen, so wichtig sie für manche späteren Denker geworden sind, doch nicht der ewige Wert von Platons Philosophie liegt, darf ich sie hier übergehen. Was für uns an Platons Lehre wichtig ist, können wir auch ohne Eingehen auf diese Schwierigkeiten verstehen.

Wir finden diesen für uns wesentlichen Kern, wenn wir uns unserer Grundfrage erinnern: Was soll ich in dieser Welt? Um Platons Antwort darauf zu verstehen, haben wir nur noch nötig, *einen* Punkt dem bisher Gesagten hinzuzufügen. Wir wissen: Das wahrhaft Erkennbare und das wahrhaft Seiende sind die vom Verstande erfaßten Begriffe oder Ideen. Sie sind es aber auch, die den einzelnen, sinnlich erlebbaren Gegenständen ihren Wert und ihre Bedeutung verleihen. Ein Pferd ist gut, wenn es alle Eigenschaften, die zum Begriff des Pferdes gehören, wie Schnelligkeit, Lenksamkeit, Stärke, in vollkommener Weise besitzt. Es gibt nun viele Ideen, wie es viele Arten von Dingen und Eigenschaften gibt. Es gibt Ideen des Pferdes und des Hundes, aber auch des Tieres; des Mannes und der Frau, aber auch des Menschen. Augenscheinlich sind einzelne dieser Ideen untereinander ähnlich und anderen untergeordnet. Der Begriff des Mannes ist dem der Frau ähnlicher als dem des Pferdes; Mann wie Frau stehen unter dem allgemeineren Begriffe des Menschen; Mensch und Pferd stehen unter dem Begriff des lebendigen Wesens. Da alle Ideen einen einheitlichen, vernunftbeherrschten Zusammenhang bilden sollen, muß es eine oberste Idee geben. Diese oberste Idee nun, unter der alle anderen stehen, ist für Platon die Idee des Guten. Der Denker selbst bezeichnete diese Einsicht als die am schwersten zu erringende. Wie er dazu kam, werden Sie vielleicht begreifen, wenn sie sich erinnern, daß alles Gute in den einzelnen Dingen von den Ideen kommt, daß ferner die Sicherheit unseres Erkennens und damit die Güte unsres Handelns auf der Wiedererweckung der Ideen in unserm Geiste beruht.

Ist die oberste Idee die des Guten, so fällt für Platon auch die Gottheit mit dieser obersten Idee zusammen. Denn die Ideen sind es ja, die göttergleich dauern und in ewigem Sein unsere wechselnde Welt bestimmen. Die Einheit von Macht und Güte, die reine Idee der Gottheit ist so errungen. Aus diesem Gedanken folgt, daß auch in der Welt der Körper alles gemäß der Idee des Guten, d. h. dem Zwecke des Guten entsprechend geordnet ist. Platon begründet eine Art der Naturerklärung, die aus einer zweckmäßigen Ordnung alles einzelne abzuleiten sucht. Die Sterne z. B. bewegen sich in kreisförmigen Bahnen, weil die gleichartige und in sich zurücklaufende Kreisbewegung die vollkommenste Art der Bewegung ist. Wie Sie wissen, geht die moderne Wissenschaft ganz anders vor. Sie hat gefunden, daß die Sterne sich nicht in Kreisen, sondern in Ellipsen bewegen, und sie sucht nun nicht etwa zu beweisen, daß die Ellipse vollkommener ist als der Kreis, sondern sie weiß gar nichts von »vollkommener« Bewegung, sie fragt nur, welches die Ursachen dieser Bewegung sind, und findet diese Ursachen in der gegenseitigen Anziehung und in der Lage der Sterne zueinander. Diesen Gegensatz einer Erklärung aus Ursachen (kausal) und einer Erklärung aus Zwecken (teleologisch) hat Platon sich durchaus deutlich gemacht. In dem

Gespräche Phädon, das wir schon kennen, läßt er den Sokrates etwa folgendes ausführen: Wenn man meint, durch Angabe der Ursachen die Natur erklärt zu haben, so komme ihm das vor, als wenn man sage, Sokrates sei im Gefängnis, weil seine Muskeln und Sehnen sich soundso bewegt hätten und weil sie jetzt so gestellt seien, daß er nicht weggehe. Und doch haben ihn nicht die Muskeln und Sehnen verhindert zu fliehen, als die Möglichkeit dazu gegeben war. Er ist vielmehr geblieben, um, wie er es für recht hielt, den Gesetzen der Vaterstadt zu gehorchen.

Naturauffassung. Liebe

Für die Naturerklärung ist Platons Weg ungangbar, weil wir als beschränkte Menschen die Zwecke des Weltganzen sicherlich nicht erkennen können. Wir werden im nächsten Vortrage sehen, daß hier nur die entgegengesetzte Methode zur Erkenntnis führt. Aber gerade das Beispiel, das ich eben aus dem Phädon anführte, wird Ihnen gezeigt haben, daß unser Handeln nur recht gewürdigt und geleitet werden kann, wenn wir es von seinen Zielen aus beurteilen. Klug handelt, wer die Mittel zu seinen Zwecken richtig wählt, weise, wer sich die wahrhaft richtigen Zwecke stellt. Um Ihnen nun zu zeigen, wie Platon seine Lehre auf unser Leben anwandte, kann ich an zwei Verbindungen anknüpfen, in denen Sie Platons Namen wahrscheinlich oft gehört und gebraucht haben, an die platonische Liebe und den platonischen Staat. Freilich sind die landläufigen Vorstellungen von diesen beiden bekanntesten platonischen Lehren gründlich verkehrt.

Platonische Liebe, so meint man wohl, sei eine Liebe, die nicht auf den Besitz des Geliebten geht, die ihren Gegenstand nur von ferne schwärmerisch verehrt. Aber wenn zwischen sinnlicher und platonischer Liebe wirklich nur dieser Unterschied bestände, wenn Platon also eine Liebe gepriesen hätte, die weder die Kraft hat, sich das Geliebte zu erringen, noch den Mut, endgültig zu verzichten, so wäre die platonische Liebe ein Trost für schwache Süßlinge, wert des Spottes lebenskräftiger Frohnaturen. In Wahrheit ist nicht der Verzicht auf sinnlichen Besitz, sondern der Zusammenhang mit der Ideenlehre wesentlich für den Begriff der platonischen Liebe. Wir haben gesehen, daß alles Wertvolle, Schöne und Gute in den Dingen von ihrem Anteil an den Ideen herkommt. Wie jeder, der mit offenem und künstlerischem Auge in die Welt schaut, liebte und bewunderte Platon kraftvolle und schöngebildete jugendliche Gestalten. Er rechtfertigte sein Gefühl vor sich selbst durch die Lehre, daß in der Schönheit des Leibes sich die ewige Idee des Menschen dem irdischen Auge offenbart. Seiner Idee nach ist der Mensch ein vernunftbeherrschtes Wesen; und wir dürfen, wenn wir Platons Lehre von der Liebe verstehen wollen, nicht vergessen, daß für den Griechen ein schöner Körper sich in erster Linie durch gleichmäßige Ausbildung aller Muskeln auszeichnet. Einem solchen Körper sieht man es an, daß er leicht und frei der Absicht des Willens gehorcht; daher kommt in dem schönen Körper des Griechen die Herrschaft des vernünftigen Geistes über die Glieder des Leibes zum Ausdruck. Es ist ein Zeichen niederer Sinnesart, wenn manche Orientalen an den Frauen die tote Masse des fetten Körpers lieben. Echte Liebe sucht, selbst wenn sie sich dessen nicht voll bewußt ist, im geliebten Wesen das wahrhaft Wertvolle. Daraus folgt, daß ihr der sinnliche Besitz nicht das Höchste sein kann; aber die bloße Enthaltung vom sinnlichen Besitze macht für sich genommen den Wert einer Liebe keineswegs aus, sondern darin zeigt sich die echte Liebe, daß man in sich selbst wie im Geliebten ein Höheres zu erzeugen sucht. Platonische Liebe sieht also im Geliebten die Vollkommenheit angelegt und strebt für sich selbst und für das geliebte Wesen nach der Herrschaft und Durchsetzung dieser Vollkommenheit. Da aber alle einzelnen Dinge und Menschen ihre Vollkommenheit doch nur aus den Ideen haben, so geht die wahre Liebe von den Körpern zu den Seelen und von den Seelen zu den Ideen. Der Philosoph liebt die Wahrheit mit demselben Feuer, mit dem der Liebende seine Geliebte liebt; in dem Streben nach Wissen, das für Platon wie für Sokrates alles beherrscht, steckt eine leidenschaftliche Liebe.

In jeder Liebe hoher Art lieben wir, selbst wenn wir uns dessen nicht bewußt sind, die Idee, die Gottheit. Dadurch sind für Platon die innigsten menschlichen Verhältnisse an die großen Gedanken seiner Philosophie angeknüpft. Noch enger fast ist Platons Lehre vom *Staate* mit der Ideenlehre verbunden. Die Vernunft, die im einzelnen Menschen herrschen soll, hat auch den Staat zu regieren. Hier wie dort sollen die niederen Triebe in strengem Gehorsam gehalten werden. Die eben angedeutete Vergleichung des einzelnen Menschen und des Staates hat Platon überall durchgeführt. Der Staat ist ihm nicht eine bloße Vergesellschaftung der Menschen zum Zwecke der Sicherheit und Wohlfahrt, sondern ein in sich wertvolles vergrößertes Abbild des Menschen. Wie der einzelne die Aufgabe hat, die Idee der Menschheit in sich darzustellen, so soll das in größerer und vollkommnerer Weise der Staat tun. Platon erbaut sich in Gedanken ein Staatswesen, das diesen Anforderungen genügt. Nicht aus der Wirklichkeit nimmt er das Vorbild für diesen Staat; ja er weiß, daß ein Staat ganz so, wie er sich ihn denkt, nie existieren wird. Aber auch der Kreis des Mathematikers ist in der Körperwelt nie völlig genau vorhanden und bleibt trotzdem das Vorbild jedes Kreises, den wir zeichnen. So soll der ideale Staat Platons ein Vorbild sein, dem sich die Wirklichkeit möglichst zu nähern hat. Da nun der Staat der Mensch im großen ist, so entsprechen seine Teile, die Berufsstände der Bürger, den Teilen der menschlichen Seele. Wir müssen daher, um Platons Staatsideal zu verstehen, einen Blick auf seine Seelenlehre werfen.

Da die Seele sich im irdischen Leben der einst geschauten Ideen erinnert, hat sie vor ihrer Vereinigung mit dem Körper schon existiert. Sie wird ebenso den Körper überdauern. Noch in anderer Weise leitet Platon die Unsterblichkeit der Seele aus der Ideenlehre ab. Unsere Seele ist fähig, die reinen Begriffe oder Ideen zu erfassen. Diese Begriffe aber werden und vergehen nicht, sondern sind aus dem Flusse des zeitlichen Geschehens gleichsam herausgehoben. Man kann sich das wieder an einem geometrischen Begriffe wie dem des Kreises klar machen. Begrifflich, für die Beweisführung des Mathematikers, ist der Kreis, den der große alexandrinische Mathematiker Euklid sich dachte, und der Kreis, an dem heute ein Schullehrer seinen Schülern die geometrischen Sätze beweist, genau derselbe; es kommt für die Geometrie gar nicht in Betracht, daß jener erste Kreis vor mehr als 2000 Jahren gedacht wurde, daß die Zeichnungen, die Euklid davon machte, längst verschwunden sind. Ein Wesen aber, das Zeitloses, Ewiges zu erfassen vermag, muß selbst an der Ewigkeit teilhaben, kann nicht in die engen Grenzen eines Menschenlebens eingeschlossen sein. Es liegt in diesem Beweise der richtige Gedanke, daß wir durch Teilnahme an dem ewig Wahren uns gleichsam über das zeitliche Leben emporheben. Aber ein zeitliches Fortleben jenseits des Todes läßt sich weder auf diesem noch auf einem der andern von Platon versuchten Wege wissenschaftlich beweisen. Platon wollte hier zur *Sache des Wissens* machen, was immer *Sache des Glaubens* bleiben muß.

In diesen Unsterblichkeitsbeweisen ist die Seele so völlig aus der körperlichen Natur herausgehoben worden, daß eine besondere Vermittlung zwischen den beiden Gegensätzen nötig wird. Platon findet sie in der Lehre von den Seelenteilen. Wie die Ideen selbst außer ihrem reinen und abgesonderten Dasein doch auch in der Körperwelt wirksam sind, so beherrscht unsere Seele zugleich einen besonderen Körper, eben unseren menschlichen Leib. Der Teil der Seele, der die Ideen schaut, ist die Vernunft. Sie herrscht über den Leib mit Hilfe der wollenden Seelenteile; aber den Willen bestürmen zugleich die körperlichen Begierden. Wenn wir unsere Gelüste nicht beherrschen, werden wir von ihnen unterjocht. Darum unterscheidet Platon zwei Willens- oder Triebkräfte, eine höhere, den Mut, wie er sie nennt, durch den die Vernunft wirkt, und dem auch jene edlere Liebe angehört, und eine niedere, die Begierde. Auch die *sinnlichen Begierden* gehören zum Menschen, wie wir ja ohne Essen und Trinken unser Leben nicht erhalten können; aber sie *sollen nicht herrschen, sondern dienen.* *Gebieten* soll die *Vernunft,* ihre Gebote *durchsetzen* soll der *Mut.*

Staat

Diesen drei Teilen der Seele entsprechen die Teile des »Menschen im großen«, d. h. die Stände des Staates. Regieren soll auch hier der vernünftige

Teil; so rechtfertigt sich Platons bekannter und zuweilen belachter Ausspruch, nicht eher werde es im Staate besser werden, als bis die Könige philosophieren oder die Philosophen Könige sind. Unter einem Philosophen versteht Platon hier nämlich nicht einen einsamen, in sein Studierzimmer eingeschlossenen Grübler, sondern einen Mann, der außer der Erziehung durch das praktische Leben auch noch die höchste wissenschaftliche Ausbildung empfangen hat und darum befähigt ist, die Wissenschaft ebensowohl zu fördern wie auf den Staat anzuwenden. Der zweite Stand, der dem Mute entspricht, ist der Kriegerstand, der im Innern die von den Herrschern befohlene Ordnung aufrecht erhält und gegen äußere Feinde den Staat beschirmt. Auch die herrschenden Weisen haben zum Kriegerstand gehört, ehe sie in ihre höhere Stellung aufrückten. Damit die beiden herrschenden Stände sich ganz ihren Aufgaben widmen können, ist von ihnen jede Sorge um den täglichen Unterhalt, jede Begierde nach Reichtum fernzuhalten. Sie werden daher aus Staatsmitteln ernährt und dürfen weder Privateigentum noch Familie haben. Der dritte Stand ist der erwerbende, er entspricht der Begierde und hat im rechten Staate zu gehorchen. Bei der Behandlung des Nährstandes zeigt sich in Platons Ausführungen eine Schwäche, die er mit allen Griechen teilt. Dem sklavenhaltenden Griechen war die Erwerbsarbeit etwas, das im Grunde eines freien Mannes nicht würdig schien. Wir sind hier längst über das Griechentum hinausgeschritten und sehen in jeder recht getanen Arbeit eine Verwirklichung des Besten im Menschen. Diese Schwäche macht sich auch sonst in Platons Staatsideal geltend. Man hat wegen der von ihm geforderten Eigentumslosigkeit der höheren Stände in Platon oft einen der Urväter des Sozialismus gesehen – kaum mit Recht. Denn Platon hat wenigstens in seinem »Staat« an das Privateigentum der Erwerbsstände nicht gerührt.[4] In für uns auffallender Weise werden alle wirtschaftlichen Fragen vernachlässigt. Nicht im Interesse gerechter Güterverteilung, sondern nur, damit sie ganz ihrem Amte leben können, wird den Kriegern und Weisen das zu ihrem einfachen abgehärteten gemeinsamen Leben Nötige aus öffentlichen Mitteln zugeteilt. Das Herrschen ist nach Platon kein Genuß, kein Mittel, den Herrschern Vorteile zu verschaffen, sondern ein im Dienste des Ganzen geübtes Amt, dem sich die dazu Tüchtigen sowenig entziehen dürfen, wie etwa die Vernunft des einzelnen Menschen es unterlassen darf, sein tägliches Leben nach ihren Einsichten zu regeln. Aus denselben Gründen wie das Privateigentum ist für die höheren Stände auch die Familie abzuschaffen; in ihnen gibt es nur einzelne gleichberechtigte Männer und Frauen, deren Verbindungen von den Herrschern im Interesse eines tüchtigen Nachwuchses geregelt werden. Während Platon in der Unterschätzung der Erwerbsarbeit griechischen Vorurteilen folgte, trat er in der Bewertung der Frau der in seinem Volke herrschenden Meinung entgegen. Er forderte völlige Gleichstellung beider

Geschlechter. Zu Kriegern und Herrschern werden Frauen wie Männer gemacht. Die Kinder dieser höheren Stände erhalten gemeinsame Erziehung und kennen ihre Eltern nicht. Nur die unter diesen Kindern, die ihrer Abkunft Ehre machen, bleiben im Stande der Eltern, die übrigen werden in den dritten Stand herabgesetzt. Ebenso werden unter den Kindern der Gewerbsleute die tauglichen in die höheren Stände emporgehoben.

Vieles einzelne in Platons Staatsideal ist überwunden, anderes, wie die Forderung wissenschaftlicher Bildung für die Regierenden, ist wenigstens teilweise Wirklichkeit geworden; manches, wie die Zugänglichkeit der höchsten Stellen für alle Tüchtigen und die Auswahl der Regierenden allein nach der Tüchtigkeit, ist auch heute noch Ziel unseres Strebens. Aber weit wichtiger als alle diese Einzelheiten ist der Geist, der in Platons Staatslehre waltet. Alle Einrichtungen beherrscht die Vernunft, jeder Mensch dient den großen Zielen des Ganzen. Auf diese Ziele ist der Sinn gerichtet und von ihnen aus werden die Mittel gewürdigt. In unserer Zeit haben sich die Mittel des Lebens unendlich vervollkommnet. Bewundernswertes ist für die Bequemlichkeit und Gesundheit des äußeren Lebens geschehen, und diese Fortschritte werden wachsenden Teilen des Volkes zugänglich. Wir sollen diese technischen Errungenschaften nicht unterschätzen. Aber auch wenn wir mit immer größerer Schnelligkeit reisen, und wenn unsere Worte durch Telephon und drahtlose Telegraphie den Raum überwinden, die Hauptsache bleibt stets, zu welchen Zwecken wir reisen und was wir reden. Gerade die großen Fortschritte der Technik lassen viele vergessen, daß alle diese Erleichterungen der Ernährung und des Verkehrs nur Mittel sind, und daß es auf die Zwecke ankommt, zu denen wir diese Mittel gebrauchen. Das Nachdenken über diese Zwecke heißt Philosophie. Den Wert dieses Nachdenkens hat niemand mit größerer Kraft hervorgehoben als Platon. In der Mahnung, über die Ziele des Lebens nachzudenken, gipfele Ihre Erinnerung an ihn.

Platon
Nach einer Marmorbüste in Rom

Dritter Vortrag.
Descartes.

Nicht Geschichte der Philosophie will ich Ihnen in diesen Stunden vortragen, sondern meine Absicht ist, daß Sie die philosophischen Grundgedanken gleichsam mit entdecken, im Geiste großer Denker miterleben. Unter diesem Gesichtspunkte habe ich Philosophen gewählt, die recht ursprünglich aus sich heraus die Fragen neu stellen und lösen. Es gibt unter den großen Philosophen auch Geister anderer Art, solche, die eine ungeheure Menge von Wissensstoff in ein einheitliches System zu formen unternehmen. Ihre Aufgabe ist die höchste; denn der Geist des Menschen strebt zuletzt danach, die ganze Mannigfaltigkeit der Dinge und Erlebnisse als gegliederte Einheit zu überschauen. Platons großer Schüler *Aristoteles* leistete das für seine Zeit und wurde dadurch während des ganzen Mittelalters der eigentliche Lehrer Europas. Als großer Vollender, Zusammenfasser, Abschließender hat er das griechische Denken den Völkern des Morgen- und des Abendlandes vermittelt. Aber gerade jene Fülle der Materialien und der Gesichtspunkte, die seiner Wirkung einst günstig war, erschwert uns heute die Annäherung. Der Stoff des Wissens, den Aristoteles beherrschte und verarbeitete, ist veraltet. Wir wissen vieles besser, und vor allem der Umfang unserer Kenntnisse ist weit größer. Wir sind nicht etwa klüger als Aristoteles, aber wir haben das Glück, die Vorarbeiten vieler Geschlechter für uns benutzen zu können und sind dadurch an Erfahrungen reicher. So vieles wir noch von Aristoteles lernen können, über seinen Schriften liegt der Staub der Geschichte. Wir müssen uns, um Systemen, wie Aristoteles und seine mittelalterlichen Schüler sie schufen, gerecht zu werden, in den Geist ferner Zeiten zurückversetzen. Sie werden bei Sokrates und Platon selten eine derartige Schranke gefühlt haben. Die Fragen, die diese Männer zum ersten Male mit voller Klarheit stellten, quälen noch heute unklar jeden, der nachzudenken beginnt; ihre Antworten zeigen auch uns noch den Weg der Lösung. Wir verkehren mit ihnen über die Jahrtausende hinweg gleichsam unmittelbar. Ein ähnliches Gefühl der Verwandtschaft ergreift uns erst wieder den Führern der beginnenden Neuzeit gegenüber. Von dem größten unter ihnen, von *René Descartes*, will ich heute reden.

René Descartes (die lateinische Namensform **Renatus Cartesius** hat der Philosoph selbst nicht gebraucht) wurde 1596 als jüngerer Sohn eines französischen Edelmannes geboren. Er wurde, sobald seine zarte Gesundheit es erlaubte, sorgfältig und vielseitig unterrichtet. Den wichtigsten Teil seiner geistigen Ausbildung erhielt er in der damals neu gegründeten Jesuitenschule von La Flèche; er war ein Musterschüler dieser Musteranstalt. Descartes selbst hat später den Eindruck des dort erhaltenen Unterrichtes auf ihn geschildert. Wir werden seine Darstellung verstehen, wenn wir uns die Eigentümlichkeiten jenes Zeitalters rasch vor Augen führen.

In *einer* Beziehung erinnert der Beginn der Neuzeit an die Periode des Sokrates und Platon. Beide Male geriet eine religiöse Überlieferung und eine eng damit verbundene Art der Lebensführung ins Schwanken. In solchen Zeiten besinnen sich denkende Männer auf die Grundlagen, auf denen man gebaut hatte. Aber weiter reicht die Ähnlichkeit beider Zeiten auch nicht. Die Überlieferung des Mittelalters war selbst etwas ganz anderes als die griechische Religion und der griechische Staat. Das Römerreich hatte die Völker der damals bekannten Welt fast alle in seine *Einheit* verflochten; das Christentum setzte für den größten Teil dieser Völker eine *innere* Einheit an die Stelle jener äußeren politischen Verbindung. Wir können darum das Mittelalter als eine Zeit der Einheit bezeichnen; politisch fühlte sich trotz aller Kriege die Christenheit als ein Ganzes, außerhalb ihrer standen die Feinde, die Muselmanen; weiter reichte der Gesichtskreis kaum. Geistig wurde das ganze Leben von der Kirche beherrscht. Wie aber jene politische Einheit der christlichen Welt im Vergleich zu den kleinen griechischen Staaten einen ungeheuren Umfang hatte und im Gegensatze zu der unmittelbaren Wirksamkeit jener Staaten mehr als ideale Forderung denn als wirkliche Macht bestand, so war auch die Einheit des geistigen Lebens weit komplizierter und barg viel größere Gegensätze in ihrem Schoße. Der Kultus der Götter, in dem die Religion der Griechen wesentlich bestand, war eine Staatsangelegenheit und wurde mit dem Schwerte gegen Feinde, aber eigentlich nicht mit Gründen gegen Andersgläubige oder Ungläubige verteidigt. Glaubenssätze, über die sich streiten ließ, enthielt diese Religion in der vorphilosophischen Zeit kaum. Im Mittelalter war das anders. Der christliche Glaube mußte sich von Anfang an gegen philosophisch gebildete Angreifer verteidigen. Innerhalb der Christenheit selbst entstanden verschiedene Richtungen; und gegen Absonderungen der Ketzer konnte man sich nur durch strenge Aufrechterhaltung bestimmter Glaubenssätze oder Dogmen schützen. Viele unter diesen Dogmen – ich erinnere an die Dreieinigkeit, an die Gottheit Christi – waren schwer zu erfassen und bedurften zu ihrer Auslegung und Verteidigung großen Scharfsinns. Es wurde also viel und zusammenhängend nachgedacht, es galt, aus den Lehren der Kirche, den Überlieferungen der biblischen Bücher, den Anforderungen der fortschreitenden Zeit eine Einheit zu bilden. Man bedurfte gelehrter Denker. Der Übung ihres Scharfsinns diente auch ein lebhafter Betrieb der weltlichen

Wissenschaft, die fast ganz mit der Philosophie zusammenfiel und deren Pflege wesentlich in geistlichen Händen lag. Theologie und Philosophie unterlagen ähnlichen Bindungen. Wie die Theologie an der Bibel, so hatte die Philosophie besonders im späteren Mittelalter an den Schriften des Aristoteles eine Autorität. Über diese Schriften wurde nachgedacht, und über ihre Auslegung stritt man sich. Alle Studien, selbst die medizinischen, waren wesentlich Bücherstudien.

Zeitalter

Am Beginn des 17. Jahrhunderts, in der Jugendzeit des Descartes, war etwa seit hundert Jahren diese alte Einheit erschüttert, ohne daß doch ihre Herrschaft schon vorbei gewesen wäre. Die Neuzeit beginnt auf geistigem Gebiete überall damit, daß man nicht mehr wie bisher unter Voraussetzung des traditionellen Systems von Lehren und Büchern um seine Ausbildung und Auslegung streitet, sondern daß die Voraussetzungen der geltenden Lehre selbst angegriffen werden. Das erweiterte Bild der äußeren Welt sprengte den alten Rahmen. Schon die geographischen Entdeckungen hatten den Gesichtskreis ausgedehnt; viel stärker aber noch wirkte die neue Astronomie. Bis zum 16. Jahrhundert hatten die meisten Denker mit Aristoteles geglaubt, daß die Erde im Mittelpunkt der Welt stehe und Sonne, Mond und Sterne sich um sie drehen. *Kopernikus* ließ die Erde sich als Planeten um die Sonne bewegen und *Giordano Bruno* faßte das ganze Sonnensystem als *eine* Welt unter unzähligen anderen auf; auch die Fixsterne sind nach seiner Lehre Sonnen, deren Planeten wir nur nicht erblicken können. Diese Sätze, die heute Schulknaben nachreden, ohne daß sie ihnen Eindruck machen, waren um sechzehnhundert noch aufregende, von allen Kirchen verdammte Kühnheiten, für die Bruno selbst zum Märtyrer wurde. Nur das Umstrittene bewegt die Geister. Mit der alten Einheit der äußeren Welt gleichzeitig war auch die Einheit der Kirche durch die Reformation vernichtet worden. An Stelle des einen Aristoteles ferner war infolge der erweiterten Kenntnis des Altertums eine Menge einander bekämpfender alter Philosophen getreten. Alle diese Neuerungen bewirkten – zumal in Italien, dem geistig führenden Lande der Übergangszeit – eine große Gärung. Der einzelne Mensch, nicht mehr gehalten durch die Bande der Überlieferung, fühlte sich als freies, selbstherrliches Individuum. Aber der Fülle neuer Anregungen fehlte zunächst noch die verbindende Einheit und die Sicherheit streng wissenschaftlichen Denkens. Der frei gewordene Geist ergriff, was ihm verwandt war, was seine Sehnsucht zu befriedigen versprach, mit ungestümem Eifer. Darum blühen in jenen Zeiten des Übergangs vom Mittelalter zur Neuzeit die Scheinwissenschaften der Astrologie, Magie, Alchimie. Langsam ringt sich aus diesem Chaos die echte Wissenschaft empor – ihre Anfänge liegen in der Mathematik, der Astronomie und der philologischen Behandlung der alten Schriftsteller.

Von diesen Neuerungen drang vieles auch in den Unterricht der Jesuitenschule ein. Denn die Jesuiten wollten nicht weltfremde Mönche, sondern treue Diener der Kirche in der Welt heranbilden. Sie mußten ihren Zöglingen daher von der neuen Weisheit so viel mitteilen, wie man in der Welt brauchte. So stand in ihrem Unterrichte die gründliche Kenntnis der alten Sprachen und Schriftsteller und, wenigstens in La Flèche, auch der Mathematik neben der Kirchenlehre und der ihr entsprechenden Philosophie. Den meisten Zöglingen war dieses Nebeneinander unverträglicher Gegenstände ganz recht, wie ja immer in den Seelen der Mehrzahl Widersprechendes sich sehr gut verträgt. Aber es ist ein Kennzeichen philosophischer Geister, daß sie ein Nebeneinander unverbundener, ja widerstrebender Teile nicht ertragen können. Darum befriedigte Descartes der Unterricht nicht. Von Anfang an suchte er einheitliches und sicheres Wissen und begann früh alle Zweige des Unterrichts daraufhin zu prüfen, ob sie beweisbare Wahrheiten enthielten. Er mußte also an dem, was man ihn lehrte, Kritik üben, verfuhr aber dabei nicht etwa als junger Umstürzler, der, weil seine Erwartungen nicht befriedigt wurden, sich gegen alle Vorteile des empfangenen Unterrichtes verstockte. Vielmehr wußte er ganz wohl, daß er viel Nützliches gelernt hatte, daß die alten Sprachen seinen Stil gebildet, die griechischen und römischen Schriftsteller seinen Geist bereichert hatten. Auch für die religiöse Unterweisung war er empfänglich, fühlte sich sein Leben lang als Christ und suchte stets mit der katholischen Kirche im Einvernehmen zu bleiben. Aber der Preis der geistig Armen, der auch in den bildungsstolzen Schulen nicht ganz verstummen durfte, ließ den Nutzen gelehrter Theologie zweifelhaft erscheinen, zumal der Streit um die rechte Auslegung der Lehre endlos fortging. Nirgends zeigte sich die Sicherheit der Ergebnisse, die Descartes leidenschaftlich begehrte. Nur in der Mathematik fand er dieses Streben befriedigt. Aber hier handelte es sich um Gegenstände, die ihn im Grunde kalt ließen; für Zahlen und Figuren als solche interessierte sich der junge Descartes wenig, so sehr ihn auch die strenge Form der mathematischen Methode anzog.

Unbefriedigt von der Schulweisheit, dabei als Sohn eines wohlhabenden Edelmannes unabhängig, beschloß Descartes, statt der Bücher die Welt zu studieren. Da er sich einen Beruf wählen sollte, entschied er sich, einem Wunsche seines Vaters folgend, dafür, Soldat zu werden. Beim Verlassen der Schule 1612 war er indessen noch zu jung und zu schwächlich, um Kriegsdienste zu nehmen. Er stählte daher zunächst seinen Körper durch geeignete Übungen und begab sich dann zur gesellschaftlichen Ausbildung nach Paris.

Jugend. Kriegszüge

47

Aber schon hier zeigte es sich, daß dem jungen Manne die Versenkung in sich selbst und das stille Studium im Grunde angemessener war als das rauschende Treiben der Welt. Verkehr mit Mathematikern gab ihm neue Anregung, ihre Wissenschaft fesselte ihn jetzt so sehr, daß er zwei Jahre hindurch zurückgezogen mathematischen Studien lebte.

Im Jahre 1617 war er kräftig genug zum Kriegsdienste; er blieb nun 5 Jahre lang bis 1622 Soldat. Aber dieser junge französische Edelmann trat nicht, wie man vermuten möchte, ins französische Heer ein, sondern ging zu dem protestantischen Moritz von Oranien, der damals allerdings mit Frankreich verbündet war. Als später in Deutschland der große Krieg begann, schloß er sich dem Heere Tillys, des Feldherrn der katholischen Liga, an. Man sieht, daß weder religiöse noch politische Interessen ihn bei der Wahl der Fahne leiteten, der er folgte. Auch militärischer Ehrgeiz lag ihm fern. Er blieb stets Volontär und benutzte die Kriegszüge lediglich als Mittel, die Welt zu sehen.

Zwischen der kriegerischen Laufbahn eines Sokrates und der eines Descartes besteht also der entschiedenste Gegensatz. Sokrates erfüllte als Krieger seine Bürgerpflicht und ging völlig im Dienste seiner Vaterstadt auf. Descartes machte die Kämpfe, die das Geschick der europäischen Menschheit bestimmten, nur deshalb eine Weile mit, weil sie ihm Gelegenheit zur Ausbildung seiner Persönlichkeit gaben. Nicht nur zwei Männer, zwei Zeiten und zwei Lebensauffassungen stehen hier einander gegenüber. Descartes selbst spricht von seinen Kriegszügen wie von Reisen; durch Reisen, so sagt er, lernt man die Sitten verschiedener Völker kennen und befreit sich von dem Vorurteil, daß man nur nach der in der Heimat gewohnten Weise leben könne.

Aber das Lesen im eigenen Innern war für Descartes auch in dieser Zeit wichtiger noch als das Lesen im Buche der Welt. Mehr als von Kampf und Sieg, mehr auch als von der Durchquerung Mitteleuropas bis nach Ungarn hin, spricht er von den inneren Erlebnissen in der Stille der Winterquartiere. Hier nahm er im innigsten Zusammenhang mit seinen philosophischen Überlegungen auch das Studium der Mathematik wieder auf. An Kennern dieser Wissenschaft fehlte es in den Heeren jener Zeit nicht, da man mathematischer Berechnungen besonders bei Belagerungen bedurfte.

Wir müssen uns klar zu machen suchen, warum Descartes von der Mathematik für die Philosophie so viel erhoffte. Sie war für ihn zunächst, ähnlich wie für Platon, ein Vorbild sicher begründeter Erkenntnis. Die Möglichkeit, durch strenge Überlegungen ohne die unsichere Hilfe der Erfahrung neue fruchtbare Wahrheiten zu finden, hoffte er auf die Philosophie übertragen zu können; aber zu dieser formalen Bedeutung der Mathematik trat die Fülle ihrer neuen naturwissenschaftlichen Anwendungen, die eben damals die Denkenden fesselten.

Diese neue mathematische Naturwissenschaft bewirkte zugleich einen vollkommenen Umschwung in der Auffassung der Körperwelt. Platon, Aristoteles und die Denker des Mittelalters hatten alle Naturerscheinungen durch zweckmäßig wirkende Kräfte erklären wollen. Als die beginnende Neuzeit sich mit frischer Liebe der Erforschung der äußeren Natur zuwandte, folgte man meist diesen Lehren, ja man überbot sie, geleitet durch das Gefühl einer innigen Verwandtschaft zwischen Mensch und Natur. Uns Deutschen ist diese Stimmung der Renaissancezeit durch Fausts Monologe vertraut. Man glaubte, vermöge einer genialen Ahnung die Geheimnisse der Natur erraten zu können, weil man sich mit ihr eins fühlte. Alle Kräfte dachte man sich lebendig und geistig. Indessen, so anziehend diese poetische Betrachtungsweise ist, für die Erklärung, Beherrschung, Vorhersage der Naturerscheinungen leistet sie nichts. Wir legen uns die Zwecke der Natur doch immer nur nach unsern Wünschen zurecht und bleiben bei allgemeinen Sätzen stehen, aus denen sich nichts einzelnes folgern läßt. Nur die Ursachen, nicht die Zwecke der Erscheinungen vermögen wir zu erforschen und auch diese beherrschen wir nur, soweit wir sie durch Maß und Zahl zu bestimmen vermögen. Die Astronomen wurden sich zuerst dessen bewußt. In der Zeit der Renaissance herrschte die Überzeugung, daß die regelmäßigen Bewegungen der Sterne von vollkommeneren Geistern herrühren, die bei der alles umfassenden Gemeinschaft der Seelen auch auf die menschlichen Geschicke Einfluß haben. Allgemein verbreitet war daher der Glaube an die Astrologie. Auch *Kepler*, der die Gesetze der Planetenbewegung entdeckte, war noch von diesen Gedanken ausgegangen, lernte aber mehr und mehr ihre Unfruchtbarkeit begreifen, widmete sich der sorgfältigsten messenden Beobachtung der Himmelserscheinungen und forderte von den vermuteten Ursachen der Sternbewegungen zahlenmäßige Bestimmbarkeit. Alle Führer der neuen Zeit, so verschieden auch sonst ihre Ansichten sein mochten, waren einig in der Abweisung der Aristotelischen Naturphilosophie und in der Forderung einer die Ursachen aufsuchenden, von der Mathematik geleiteten Naturforschung. Diese neue Richtung der Forschung mußte aber die ganze Auffassung der Körperwelt umwandeln. Durch Zahl und Maß bestimmbar sind nicht die unmittelbar sinnlich wahrgenommenen Eigenschaften. Die Töne, so wie wir sie hören, können wir nur in eine nach der Höhe aufsteigende Reihe ordnen, können ihre harmonischen und melodischen Verhältnisse, ihre Gefühlswirkungen beschreiben, aber wir vermögen nicht die Töne und Klänge, so wie sie gegeben sind, durch ein Gesetz zu beherrschen. Will der Physiker die ihrer Entstehung zugrunde liegenden Gesetze näher erforschen, so faßt er sie als Wellenbewegungen der Luft auf. Diese sind nach Wellenlänge, Wellenhöhe und Geschwindigkeit vollständig meßbar und durch geometrische Figuren darstellbar; man kann daher sogar vorausberechnen, was beim Zusammentreffen verschiedener solcher Bewegungen erfolgt, und gewinnt an Stelle weniger, unbestimmter Sätze eine große in sich zusammenhängende Wissenschaft. Wie hier, so führt der Naturforscher überall die wahrnehmbaren Verschiedenheiten der Qualitäten auf Bewegungen der Körper im Raume zurück, weil er diese allein mit Hilfe der Mathematik beherrschen kann. Die Wissenschaft von den Bewegungen der Körper im Raume unter der Einwirkung bewegender Kräfte heißt Mechanik, daher nennt man diese Auffassung der Körperwelt mechanistisch.

Man muß die Philosophie des Descartes durchaus im Zusammenhange mit dieser großen geistigen Bewegung, zu deren ersten Förderern er gehörte, betrachten, um sie zu verstehen. In der Einsamkeit jener Winterquartiere legte sich der junge, zur Selbständigkeit gereifte Denker die Frage vor: wie kann ich ein mathematisch sicheres Wissen von der Wirklichkeit, vor allem aber von den letzten Ursachen alles Daseins und von mir selbst erlangen? Lange rang er mit sich, um den Weg zur Wahrheit zu finden; endlich im schwäbischen Winterquartier zu Neustadt 1619 erkannte er, daß es darauf ankommt, auch hier so sichere Obersätze und Voraussetzungen zu gewinnen, wie die Mathematik sie besitzt. Das aber ist nur möglich, wenn wir alle Meinungen, die wir ohne Beweis für richtig zu halten pflegen, vorläufig bezweifeln und nur das festhalten, was dem entschiedensten Zweifel gegenüber standhielt. Auf diesem Wege gelangte Descartes zu einer festen Überzeugung und zu einer sicheren Methode, die ihm auch mathematische und naturwissenschaftliche Entdeckungen ermöglichte.

Als er dann 1622 den Kriegsdienst aufgab und nach einer Reise durch Italien wieder in Paris Aufenthalt nahm, machte sich im Kreise der Gelehrten seine Überlegenheit geltend. Dadurch erwarb sich Descartes Ruhm und Ansehen, noch ehe er irgendeine Schrift veröffentlicht hatte. Man drängte ihn dazu, mit seinen Gedanken hervorzutreten, aber er konnte die zur Ausarbeitung nötige Ruhe in Paris nicht finden und begab sich daher 1629 nach Holland. Hier lebte er zwanzig Jahre hindurch ganz der Ausbildung seiner Gedanken. Um nicht durch Verkehr gestört zu werden, wechselte er vierundzwanzigmal seinen Aufenthalt. Nur zwei Freunde in Paris kannten seine Adresse und vermittelten seine Geldangelegenheiten und seinen wissenschaftlichen Briefwechsel. Er schildert gelegentlich in einem Briefe, wie er inmitten der volkreichen Stadt Amsterdam, ohne die Bequemlichkeiten der Zivilisation zu entbehren, ganz als Einsiedler lebte. Er war dort, wie er sagt, vielleicht der einzige Mensch, der sich weder um Handelsgeschäfte noch um Politik bekümmerte. Lange Zeit scheute er davor zurück, seine Ruhe durch Veröffentlichungen zu gefährden. Seine Sorge erwies sich als berechtigt. Denn als er nun, um den Ruf seines Geistes zu rechtfertigen, endlich mit Schriften hervortrat, fehlte es weder an verfolgungssüchtigen

Gegnern, noch an Mißdeutungen seiner Lehren durch unverständige Freunde. Seine Philosophie begann sich die Universitäten zu erobern und erregte bei den Anhängern der mittelalterlichen Lehren einen Haß, der sich sogar in Verboten und persönlichen Verfolgungen entlud. Dadurch wurden ihm die Niederlande verleidet, und er folgte bald einer Einladung der schwedischen Königin nach Stockholm. Dort regierte nämlich damals Christine, Gustav Adolfs jugendliche Tochter, deren lebhafter und beweglicher Geist durch die Vermittelung des französischen Gesandten an ihrem Hofe, eines Freundes des Philosophen, Interesse für die Philosophie des Descartes gewonnen hatte. Aber der Bruch mit liebgewordenen Gewohnheiten, der Zwang im Winter, in frühester Morgenstunde der Königin Vortrag zu halten, schädigte seine Gesundheit. Wohl infolge des Klimas erkrankte er und starb am 11. Februar 1650 in der Hauptstadt Schwedens. Er wurde dort beigesetzt; die Franzosen holten später die irdischen Reste ihres größten Philosophen nach Paris.

Späteres Leben. Zweifel

Bei Descartes dient nicht mehr das Denken dem Leben selbst wie bei Sokrates. Der Denker will auch nicht wie Platon eine Umbildung des Lebens bewirken; vielmehr ist umgekehrt das äußere Leben hier nur Mittel für das Denken. Descartes ist ein Mensch der Einsamkeit, eine Einzelperson, die sich möglichst von allen Beziehungen zu anderen loslöst. Alles Äußere benutzte er in seiner Jugend zur Erweiterung seines Wissens, später als Mittel, ruhig seinen Studien zu leben. So kühn er im Denken war, so weit entfernt war er von allen revolutionären oder auch nur reformatorischen Bestrebungen in der Wirklichkeit. »Ruhe, die mir über alles geht«, »vollkommene Geistesruhe, die ich suche«: das sind Worte, die Lebensart und Lebensziel des Descartes vollständig bezeichnen.

Wir haben gesehen, daß für Descartes der Weg zum sicheren Wissen durch den *Zweifel* führt. Mindestens einmal in seinem Leben muß der Denker, dem es um unumstößliche Erkenntnis zu tun ist, alle Meinungen von sich abstreifen, die überhaupt noch bezweifelt werden können. Was dieses Feuer aushält, ist echtes Gold. Gemäß der Geistesart des Descartes beschränkt sich dieses radikale Vorgehen durchaus auf die Welt der Gedanken. Descartes will keineswegs seine Lebensweise ändern, noch viel weniger natürlich die Lebensführung anderer beeinflussen. Der philosophischen Ruhe ist es am vorteilhaftesten, möglichst wenig aufzufallen, sich vielmehr auch den minder zweckmäßigen Sitten der Umgebung anzupassen. Nur in den eigenen Gedanken ist Descartes Revolutionär. Hier aber geht sein Zweifel wirklich radikal vor. Er fragt sich: was glaube ich zu wissen und welchen Grund habe ich für diesen Glauben?

Nach diesem Grundsatz halte ich zunächst alle Meinungen, die mir überliefert sind, für zweifelhaft. Aber ich muß noch weiter gehen. Ich pflege für wirklich zu halten, was ich sehe, höre oder sonst mit meinen Sinnesorganen wahrnehme. Aber meine Sinne haben mich schon oft getäuscht. Ich habe zuweilen ein Spiegelbild für Wirklichkeit, einen Nebelstreif für einen Baum gehalten. Ich muß daher an der Wirklichkeit der wahrgenommenen Dinge zweifeln. Aber vielleicht darf ich wenigstens das für sicher halten, was mit dem Gefühl meiner eigenen gegenwärtigen Lage zusammenhängt. Ich finde mich selbst etwa im Wintermantel am Kamin sitzend und schreibend. Daran kann ich doch nicht zweifeln. Aber habe ich nicht schon oft geträumt und im Traume geglaubt, daß ich spazieren gehe, während ich in meinem Bette lag? So gut wie ich damals irrte, ist es auch möglich, daß das, was ich jetzt wachend zu erleben glaube, eine Art Traum ist. Aber auch, wenn ich annehme, daß alle meine scheinbar wachen Erlebnisse nur Träume sind, müssen doch die Bilder im Traume irgendwelche Vorbilder in der Wirklichkeit haben. Sogar der Maler, der Fabelwesen bildet, setzt diese aus Stücken der Wirklichkeit zusammen, verbindet etwa einen Pferdekörper mit dem Oberleib eines Menschen zu einem Zentauren. Müssen also nicht mindestens die einfachen Bestandteile aller unserer Erlebnisse wie Längenausdehnung oder Farbe einer Wirklichkeit entsprechen? Es widerstrebt dem natürlichen Gefühl, auch daran zu zweifeln. Aber unmöglich ist der Zweifel auch gegenüber der Wirklichkeit der einfachen Erfahrungsbestandteile nicht, und wir müssen ihn daher nach dem Grundsatz, den wir zur Richtschnur nahmen, auch hierauf ausdehnen. Es wäre doch denkbar, daß ein böser Dämon mir diese einfachsten Bestandteile meiner Traumbilder vorspiegelte, um mich zu täuschen. Ich kann also zweifeln, daß ich in Farbe, Ton, Gestalt, in Tastempfindungen, Gerüchen und Geschmäcken irgend etwas Wirkliches wahrnehme. Ich kann bezweifeln, daß überhaupt eine Körperwelt existiert und daß ich selbst einen Körper habe.

Bleibt nun überhaupt noch etwas übrig, woran wir nicht zweifeln können? Wenn ich zweifle, *denke* ich doch. *Im Zweifeln bewähre und fühle ich mich als Denkender.* Vom Zweifel bleibt unangetastet, was Voraussetzung auch des ausgedehntesten Zweifels ist, eben das *Denken*. So findet man mitten im Zweifel einen festen, unbezweifelbaren Punkt. Der griechische Mathematiker Archimedes rief einst, als er die Hebelgesetze gefunden hatte, aus: Man gebe mir einen festen Punkt außerhalb der Erde, auf dem ich stehen kann, und ich will die Erde bewegen. Mit diesem von Archimedes geforderten festen Punkt vergleicht Descartes seinen ersten sicheren Satz. Man kann diesen Satz verschieden ausdrücken: Ich bin indem ich denke; ich denke, also bin ich; mein Denken ist.

Der feste Punkt: Ich denke

Was aber ist nun dieses »Ich«, dessen ich mir im Denken bewußt bin?

Gewöhnlich meint man, wenn man »ich« sagt, damit den eigenen Geist und Körper. Wir haben gesehen, daß die Wirklichkeit unseres Körpers nicht über jeden Zweifel erhaben ist. Auch unsre Leidenschaften, unser Haß und unsre Freude sind so innig mit den Vorstellungen von Körpern und den Sinnesempfindungen verbunden, daß sie mit diesen zugleich ein Raub des Zweifels werden. Nur meines Denkens bleibe ich mir in allem Zweifel gewiß. Selbst wenn alle diese meine Vorstellungen Träume sind, so stelle ich sie mir doch eben träumend vor, und Vorstellen ist eine Art des Denkens. Ja, wenn ein böser Dämon mir alles, was ich zu wissen meine, vortäuscht, so muß ich ein denkendes Wesen sein, damit seine Täuschung irgendeine Wirkung auf mich ausüben kann. Mein Denken bleibt also gefeit gegen allen Zweifel. Es hieße Descartes schlecht verstehen, wollte man ihm mit einem seiner zeitgenössischen Kritiker einwerfen: ebensogut wie ich folgere, ich denke, also bin ich, könnte ich statt des Denkens irgendeine andere Tätigkeit wählen und z. B. schließen, ich gehe spazieren, also bin ich. Ich kann ja auch träumen, daß ich spazieren gehe; und das einzige, was auch in diesem Falle gewiß bleibt, ist, daß ich mir mein Spazierengehen vorstelle, also denke. Wenn ich aber von Gedanken träume, so ist doch im Traume das Denken als solches wirklich da.

Wie aber kommt man nun von hier aus zu weiteren sicheren Erkenntnissen? Indem ich zweifele, fühle ich nicht nur mein Denken, sondern auch meine Unvollkommenheit. Denn zweifeln kann ich nur, weil ich nach einem Zustand der Gewißheit strebe, der vollkommener ist als mein Zweifel. Dieses Bewußtsein eines Mangels bei mir selbst setzt voraus, daß ich die Vorstellung eines vollkommeneren Wesens, als ich selbst bin, in mir vorfinde. Denn als unvollkommen kann ich mich doch nur im Vergleich mit einer Vollkommenheit fühlen. In der Tat habe ich in mir die Vorstellung eines Wesens, das in jeder Weise vollkommen ist, einer absoluten Vollkommenheit, Gottes. Diese Vorstellung kann ich nicht selbst hervorgebracht haben; denn eine Wirkung kann nie größer sein als ihre Ursache. Da ich unvollkommen bin, kann ich also nicht Ursache einer mir überlegenen Vorstellung von Vollkommenheit sein. Aus demselben Grunde kann diese Vorstellung auch nicht von einem andern unvollkommenen Wesen in mich hineingelegt sein, sie kann also nur von dem allervollkommensten Wesen selbst, von Gott, stammen.

Habe ich so die Sicherheit von Gottes Existenz gewonnen, so ist damit der am weitesten reichende Grund des Zweifels gehoben. Gott ist absolut vollkommen, also ist er gut; täuschen aber ist böse; Gott kann mich daher weder selbst täuschen noch zulassen, daß ein böser Dämon mich täusche. Dann aber ist alles wahr, was ich ebenso klar und deutlich wie mein eigenes Dasein als denkendes Wesen erkenne. Ganz im Sinne der neueren

Naturwissenschaft rechnet Descartes die Sinnesempfindungen nicht zu dem klar Erkennbaren; denn den Unterschied von blau, rot und gelb kann ich mit meinem Denken nicht weiter durchdringen. Dagegen was der Zahl und dem Maße zugänglich ist, räumliche Bewegungen, wie sie die moderne Naturwissenschaft als die den Sinnesempfindungen zugrunde liegende Wirklichkeit ansieht, das ist klar erkennbar, also auch wirklich wahr.

Descartes hat demnach drei Arten des wirklichen Seins gefunden. Zunächst unvollkommene denkende Wesen, wie ich selbst mich in meinem Denken und Zweifeln erfasse, dann das allervollkommenste Wesen, Gott, endlich die raumerfüllenden ausgedehnten beweglichen Körper. Ein Wesen, das für sich existiert, nennt man in der philosophischen Fachsprache *Substanz*. Im höchsten und eigentlichsten Sinne ist Gott allein Substanz, aber in einer erweiterten Bedeutung des Wortes kann man auch Körper und Seelen Substanzen nennen, weil sie nur der Gottheit bedürfen, um zu sein.

Gottesbeweis

Überblicken wir den Gedankengang, durch den Descartes zu den ersten Sätzen seiner Philosophie gelangt, so finden wir, daß der Größe und Sicherheit des Anfangs der Fortgang nicht entspricht. Das Ausgehen vom Allergewissesten, vom Unbezweifelbaren, die Auffindung dieser letzten Gewißheit in unsrem Denken selbst – das ist dauernder Gewinn. An den Folgerungen aber, die er aus diesen Sätzen zieht, läßt sich berechtigte Kritik üben. Vor allem folgt aus der Selbstgewißheit meines Denkens nicht, daß ich eine Substanz, ein unveränderliches Etwas bin, dessen bloße Äußerung das Denken ist. Nur des Denkens bin ich mir im Zweifel gewiß, nicht eines denkenden Etwas, einer Denksubstanz. Ebenso kann die Tatsache, daß wir in uns die Vorstellung eines allervollkommensten Wesens finden, bezweifelt werden. Man könnte dagegen etwa einwenden: ich bilde mir nur ein, diese Vorstellung zu besitzen, in Wahrheit kann ich mir nur eine endliche mir zugängliche Einsicht, Macht und Güte vorstellen und damit den Nebengedanken verbinden, daß diese Eigenschaften in unendlich höherem Grade vorhanden sein sollen. Ist dies der Fall, so kann eine solche Steigerung sich aus der über jede Grenze hinausstrebenden Natur meines Denkens ebensoleicht erklären, wie sich die Möglichkeit erklärt, die Zahlenreihe beliebig auszudehnen und in Gedanken Billionen auf Billionen zu häufen. Ein berechtigter Kern steckt bei alledem auch im Gottesbeweis des Descartes. Richtig bleibt, daß ich mir im Denken und Zweifeln zugleich meines Denkens, seiner Aufgabe und seiner Unvollkommenheit bewußt bin. Denken heißt nach wahren Urteilen, genauer nach einem überall begründeten Zusammenhang wahrer Urteile streben. Unser Denken ist also eine Tätigkeit, der ein Ziel vorschwebt. Dieses Ziel läßt sich nur Schritt für Schritt erreichen. Jeder wahre Satz, den wir finden, stellt neue Aufgaben. Notwendig entsteht aus dieser Lage unsres Denkens das Gegenbild eines Geistes, der ohne die Mühen des Weges das Ziel der Wahrheit besitzt. So viel also dürfen wir auch bei strengster Prüfung Descartes zugeben, daß mit dem Bewußtsein unsres Denkens und seiner Unvollkommenheit sich als Ergänzung die Vorstellung eines vollkommenen, oder wie man auch sagen kann, göttlichen Geistes verbindet. Ob wir mit logischer Gewißheit aus dieser Vorstellung auf das wirkliche Sein der Gottheit schließen dürfen, erscheint fraglicher. Bedenken werden wir jedenfalls dagegen haben, irgend etwas Weiteres über die Gottheit auszusagen; denn da ihr Begriff im Grunde nur als ergänzender Gegensatz unsrer Unvollkommenheit gebildet ist, können wir uns nicht berechtigt fühlen, diese uns unzugängliche Vollkommenheit zu durchdringen. Solchen Überlegungen zufolge ist jedenfalls die Art unzulässig, in der Descartes nun weiter schließt, daß Gott in seiner Güte uns nicht täuschen könne. Gott könnte uns aus guten Gründen einen Teil der Wahrheit verschleiern oder eine Scheinwelt vortäuschen, so gut wie Eltern ihren Kindern manche Wahrheit vorenthalten und ihnen Märchen erzählen.

Seele und Körper

Die Art, in der Descartes die nähere Ausführung seiner Lehre von Gott, Seelen und Körpern an den Anfang seiner Philosophie anknüpft, ist also keineswegs einwandfrei. Trotzdem erlangten auch diese weiteren Lehren große Bedeutung; ja, sie haben in ihrer Zeit stärker gewirkt als die Anfänge seiner Philosophie, der Zweifel und die Selbstgewißheit des Denkens. Besonders wichtig war es, daß Descartes Körper und Seele einander so klar und schroff gegenüberstellte. Wir haben schon gesehen, daß die neue Naturwissenschaft alle körperlichen Vorgänge auf mathematisch berechenbare Bewegungen ausgedehnter Teile zurückzuführen sucht. Descartes gehörte zu den frühesten und folgerichtigsten Führern auf diesem Wege. Nicht nur die unbelebte Natur wurde so aufgefaßt, auch der tierische und menschliche Körper war für ihn eine bloße Maschine, deren Bewegungen, dem Getriebe im Räderwerk eines zusammengesetzten Automaten vergleichbar, durch Druck und Stoß benachbarter Teile erklärt werden müssen. Im Gegensatze zu dieser mechanisch gedachten Körperwelt geht die Vorstellung, die Descartes sich vom Geiste bildet, von der Selbstgewißheit des Denkens aus. Gerade das Denken aber zeigt einen unausgleichbaren Gegensatz gegen eine mechanisch gedachte Körperwelt. Dort ein Nebeneinander von Teilen, die einander drücken und stoßen – hier eine vereinheitlichende, zusammenfassende Tätigkeit; dort jeder folgende Zustand durch den vorhergehenden bestimmt, alles aus Ursachen, nichts aus Zwecken erklärt – hier eine zielbewußte Tätigkeit, die sich selbst ihre Bahn vorschreibt. Descartes erst hat den uns allen von der Schule her geläufigen, schroffen Gegensatz von Leib und Seele geschaffen. Solche Vorstellungen, wie sie etwa dem Verse Schillers zugrunde liegen: »*Spricht* die Seele, so spricht, ach! schon die *Seele* nicht mehr,« sind keineswegs selbstverständlich. Wer mit Platon und Aristoteles überall in der Körperwelt zweckmäßig wirkende seelenartige Kräfte sieht, für den ist es nicht wunderbar, daß *die* Seele spricht. Aber er hat auch nicht den Körperbegriff, der unserer Naturwissenschaft zugrunde liegt und ihre Erfolge ermöglicht. Die ungeheure Hochschätzung der Seele durch das Christentum konnte für sich allein genommen noch nicht zu jener schroffen Entgegensetzung gegen den Körper führen. Das Christentum ist Religion, nicht Wissenschaft; und am allerfernsten lag nicht allein Christus und seinen Jüngern, sondern auch den Schöpfern des Dogmas, den Kirchenvätern, eine wissenschaftliche Erforschung der Körperwelt. Die christliche Hochschätzung der Seele hat nicht gehindert, daß man sich vielfach auch das Fortleben der Seele noch an einen Körper gebunden dachte, nur an einen feineren, zarteren, als der irdische. Ist alles in der Körperwelt durch seelenartige Kräfte belebt, so kann man in der Tat leicht zu der Annahme kommen, daß unser Geist beim Verlassen dieses Körpers sich mit einem, vielleicht unsichtbaren, anderen Leibe umgibt. Und doch, ohne die durch Platon vorbereitete, durch das Christentum zum Siege gelangte Hochschätzung der Seele wäre jene schroffe Gegenüberstellung von Seele und Körper undenkbar. Es hatte schon in Griechenland Philosophen gegeben, die alle körperlichen Erscheinungen durch Druck und Stoß allein zu erklären suchten. Aber sie waren auf die Eigenart des Seelischen noch gar nicht aufmerksam geworden. *Bei Descartes trifft die Auffassung des Körpers, die wir die mechanistische nennen, mit einer höchst geläuterten Vorstellung des Seelischen zusammen.* In seiner Philosophie erst entwickelt sich jener Gegensatz von Seele und Körper, von dem wir, als wäre er selbstverständlich, auszugehen pflegen. Weit verbreitet sind gerade in der Gegenwart die Bemühungen, diesen Gegensatz wieder zu überbrücken, und bisweilen begegnet man der Meinung, daß die schroffe Entgegensetzung nur eine Verirrung des Denkens gewesen sei. Diese letzte Meinung hat sicher unrecht. Auch wenn man die Gegensätze wieder vereinen will, muß man sie zuvor scharf geschieden haben. Klarheit, sei es selbst im Irrtum, ist der Verworrenheit stets vorzuziehen. Unter diesem Gesichtspunkte muß man auch die Folgerichtigkeit bewundern, mit der Descartes die Seelen der Tiere geleugnet hat. Der tierische wie der menschliche Körper war ihm eine bloße Maschine, und jene Selbstgewißheit des Denkens, die uns die feste Überzeugung von unserm eigenen Geiste verschafft, kann wohl in andern Menschen, nicht aber in Tieren vorausgesetzt werden. Unzweifelhaft ist diese Lehre von der Seelenlosigkeit der Tiere falsch; aber es gehörte mehr dazu, einen solchen Irrtum zu begehen, als ihn zu widerlegen. Auch daß die sinnlichen Eigenschaften der Körper, Farbe, Ton usf. bloße »verworrene Vorstellungen«, »bloßer Schein« seien, wird sich nicht aufrecht erhalten lassen. Wir können eine Farbe sehr klar in ihrer Eigenart und in ihren

Ähnlichkeitsbeziehungen zu anderen Farben erfassen; und wenn wir unvermögend sind, die Farben, Töne usf. mathematisch zu beherrschen, so vermögen wir umgekehrt auch nicht zu sagen, warum dieser so klingende Ton gerade einer Luftbewegung von dieser Wellenlänge entspricht. Auch hier liegen neue Probleme, die erst eine spätere Zeit sah, die aber nur gesehen werden konnten, nachdem Descartes und seine Zeitgenossen die mechanistische Körperauffassung wirklich durchgeführt hatten.

Descartes' Größe liegt also einerseits darin, daß er den notwendigen Anfangspunkt alles philosophischen Forschens, die Selbstgewißheit des Denkens, entdeckte, anderseits darin, daß er die Begriffe von Gott, von der Seele und vom Körper im Zusammenhang mit der entstehenden Wissenschaft der Neuzeit klar entwickelte.

Descartes
Nach dem Original von Hals

Vierter Vortrag.
Spinoza.

Schon einmal hatten wir das Verhältnis von Lehrer und Schüler zu betrachten. Platon war Schüler des Sokrates, das bedeutet: Sokrates hat ihn durch seine Persönlichkeit für die Philosophie gewonnen, die Freundschaft des Sokrates war das entscheidende Ereignis in Platons Leben; darum ist Sokrates die Hauptfigur in Platons dichterischen Werken. Spinoza war Schüler des Descartes; doch müssen wir hinzufügen: er hat ihn niemals gesehen, noch weniger einen persönlichen Einfluß von ihm erfahren, nur seine Bücher hat er studiert und aus ihnen gelernt. Die Verschiedenheit zweier Zeitalter tritt hier zutage: nicht mehr auf dem Markt, nicht einmal mehr notwendig im unmittelbaren Verkehr durch Rede und Antwort, nein, im stillen Zimmer beim Lesen des gedruckten Buches wird jetzt der Fortschritt gewonnen.

Spinoza fühlte sich den Schriften des Descartes stets zu Dank verpflichtet, aber während Platon seine selbständigen Gedanken dem Sokrates in den Mund legte, betonte Spinoza die Eigenart seiner Lehre auch seinem wichtigsten Lehrer gegenüber. Wir müssen daher fragen, an welche Seite jener Philosophie seine Umbildung anknüpft. Wir haben nun bereits erkannt, daß in der Philosophie des Descartes zwei Gruppen von Gedanken liegen, deren Verbindung miteinander nicht so überzeugend durchgeführt ist, wie der Philosoph selbst meinte. An jeden dieser beiden Bestandteile konnte man anknüpfen.

1. Man hätte die Bemühungen um Sicherheit der Erkenntnis fortsetzen können. Descartes hatte diese Frage als Hauptproblem der Philosophie gestellt und in der Selbstgewißheit des Denkens den sicheren Ausgangspunkt für alle weiteren Schritte gefunden. Aber er hat es unterlassen, nun für jede Art des Erkennens die Grundlagen aufzusuchen; denn er glaubte direkt aus jenem »archimedischen Punkte« genügend sichere Einsicht zu gewinnen. Sieht man ein, daß dies voreilig ist, so muß man genauer untersuchen, wie sicheres Erkennen möglich ist und wie weit es reicht. Diesen Weg schlugen die unmittelbaren Nachfolger des Descartes auf dem Festlande nicht ein. Englische Denker, besonders Locke, knüpften an seine Anfänge an, mit vollem Bewußtsein aber nahm erst Kant die begonnene Arbeit auf.

2. Descartes hatte aus seinen Voraussetzungen geschlossen, daß das klar und deutlich Erkannte auch wirklich sein müsse. Klar und deutlich erkennen

wir aber uns selbst als denkendes Wesen, Gott als allervollkommenstes Wesen und die Körper als bewegte, raumerfüllende Dinge, deren Beziehungen und Veränderungen der Mathematik zugänglich sind. An diesen Teil der Philosophie des Descartes knüpfte die Entwicklung der Philosophie unmittelbar an.

Auch hier lagen Schwierigkeiten genug vor; denn Descartes hatte jene drei Arten von Substanzen einfach nebeneinander gestellt, dabei aber doch zugegeben, daß Gott in anderem Sinne Substanz ist als die von ihm geschaffenen Seelen und Körper. Einerseits steht der Philosoph durchaus auf dem gewöhnlichen Standpunkt schroffer Entgegensetzung von Gott und Welt, andererseits scheint seine Lehre zu einer Einheit beider zu führen, wenn man sie zu Ende denkt. Gott ist ja der Inbegriff aller Vollkommenheit, »Sein« aber ist auch eine Vollkommenheit, und alles Seiende ist vollkommen, soweit es existiert. Man darf daher diese beschränkten Vollkommenheiten nicht von der Gottheit abtrennen, sonst würden sie ihr fehlen, und Gott wäre nicht das allervollkommenste Wesen. Daraus aber folgt, daß alle Dinge zur Gottheit gehören, daß Gott kein Wesen ist, welches außerhalb der Welt sein gesondertes Leben führt, sondern eben die Einheit der Welt selbst.

In anderer Weise tritt Descartes' Grundsatz, alles klar Gedachte ist wirklich, alles Wirkliche erkennbar (wiewohl nicht für unsern begrenzten Verstand), mit seinem Gottesbegriffe in Widerstreit. Denn danach muß auch das Verhältnis der einzelnen Dinge und Ereignisse zu Gott sich klar einsehen lassen, d. h. alles, was da ist und geschieht, muß mit Notwendigkeit aus dem Begriffe der Gottheit erschlossen werden können. Dann aber bleibt kein Raum mehr für Gottes freie Schöpfertätigkeit.

Wie in der Gotteslehre, so treibt auch in der Frage nach der Beziehung von Körper und Seele die Lehre des Descartes über sich selbst hinaus. Bei ihm stehen Körper und Seele einander schroff gegenüber. Die einzigen Eigenschaften des Körperlichen sind Ausdehnung und Beweglichkeit. Der Zusammenhang ihrer Bewegungen soll mit Hilfe der Mathematik so eingesehen werden, daß, wenn man die Ursachen kennt, die daraus folgenden Wirkungen berechnet werden können. Dann aber dürfen nur Bewegungen Ursachen von Bewegungen sein. Der Geist ist unausgedehnt und im Raume unbewegt. Er hat mit dem Raume überhaupt nichts zu tun, er kann also strenggenommen weder Bewegungen von Körpern hervorrufen noch seinerseits durch Körperbewegungen bestimmt werden. Beides hatte Descartes, obgleich er die Schwierigkeiten kannte, der gewöhnlichen Ansicht entsprechend angenommen. Wir glauben ja alle, daß wir durch unsern Willen vermittels der Glieder unseres Körpers auf die Körperwelt wirken. Wenn aber alles körperliche Geschehen mechanisch, d. h. durch Druck und Stoß benachbarter Körper bewirkt wird, so läßt sich das Eingreifen einer seelischen Ursache in die Körperwelt nicht begreifen. Diese Erwägung führte mehrere Schüler des Descartes dazu, die Möglichkeit eines unmittelbaren Einflusses des Körpers auf die Seele und der Seele auf den Körper zu leugnen, vielmehr die Verbindung beider Arten von Substanzen der vermittelnden Wirkung Gottes zuzuschreiben. Verbindet man diese Lehre mit der vorher verfolgten Weiterführung, daß Gott selbst die Einheit der Welt ist, so kommt man dazu, Körper und Seele als zwei Offenbarungsweisen der Gottheit anzusehen, die nur in Gott verbunden sind, während der Schein ihrer unmittelbaren Verknüpfung darauf beruht, daß die Veränderungen beider mit gleicher mathematischer Notwendigkeit aus der Gottheit hervorgehen.

So kann man von Descartes ausgehend die Grundsätze eines neuen philosophischen Systems ableiten und man findet dann, daß *Spinoza* ein System dieser Art wirklich ausgebildet hat. Absichtlich habe ich Sie diesen Weg geführt, um Ihnen an einem Beispiele zu zeigen, was in der Geschichte der Philosophie die notwendige Fortentwicklung der Gedanken bedeutet. Aber wir dürfen über dieser Notwendigkeit den persönlichen Anteil der einzelnen Philosophen nicht vernachlässigen. Es gehört schon Größe dazu, wirklich Folgerungen zu ziehen, die verbreiteten Meinungen der Zeit so entschieden widersprechen, wie die dargelegten; viele Zeitgenossen sahen die Widersprüche im System des Descartes und suchten sie zu lösen, aber nur *einer* dachte folgerichtig genug, um vor den Konsequenzen nicht zurückzuschrecken. Vor allem aber ist die Bedeutung von Spinozas Philosophie mit den unvollständigen Umrißlinien, die eine Weiterbildung des Descartes ergibt, keineswegs erschöpft. Um sie zu würdigen, müssen wir den Schöpfer des Systems und seine Herkunft kennen lernen.

Herkunft

Die zahlreichen Juden, die seit den Zeiten arabischer Herrschaft in Spanien lebten, hatten im 16. Jahrhundert viele Verfolgungen zu erdulden. Durch Zwang zum Christentum bekehrt, blieben sie doch der Inquisition verdächtig, bloße Scheinchristen zu sein, und mußten fortwährend für ihr Leben fürchten. Eine Zuflucht bot sich ihnen zu Beginn des 17. Jahrhunderts in den Niederlanden, die selbst in hartem Kampfe gegen Spanien sich die Freiheit protestantischer Religionsübung errungen hatten. Dort nahmen die spanischen Juden den Glauben ihrer Vorfahren wieder an und lebten streng nach den Gesetzen des Talmud. Als Sohn einer solchen Auswandererfamilie wurde Baruch d'Espinoza (so lautete der Name ursprünglich) 1632 in einer der engen Gassen der Amsterdamer Judenstadt geboren. Diese Herkunft bestimmte seine Jugendeindrücke und seine erste Geistesbildung.

Um die Überlieferungen ihrer Religion aufrecht zu erhalten und neuen

Geschlechtern mitzuteilen, gründeten die Juden Amsterdams eine Schule, zu deren Lehrern sie berühmte Rabbinen beriefen. Auch Baruch d'Espinoza empfing hier seine Jugendbildung; er erlernte die hebräische Sprache, las Bibel und Talmud und übte an ihrer Auslegung seinen Scharfsinn. Seine Begabung wurde offenbar; er wollte sich, da ihm die Neigung zum Kaufmannsstande fehlte, ganz der jüdischen Theologie widmen. Schon sah man in dem Jüngling die künftige Säule der Synagoge. Diese Hoffnungen der Rabbinen wurden aber durchkreuzt, als Spinoza die Gedanken der neuen Wissenschaft kennen lernte. Auch in das abgeschlossenste Ghetto dringt etwas von den geistigen Bewegungen der Umwelt, und die Amsterdamer Juden standen – mochte ihr Privatleben noch so eingeschränkt sein – durch zwei große Kanäle mit dem Leben ihrer christlichen Zeitgenossen in Verbindung, durch den Handel und die Medizin. In empfänglichen Geistern entstand so ein Zwiespalt zwischen den überkommenen Lehren und dem Wissen der Neuzeit. Schon während der Knabenjahre Spinozas hatte das zu einem Konflikt geführt, der manchem unter Ihnen aus Gutzkows Drama Uriel Acosta bekannt sein wird. Übrigens ist die Rolle, die der Dichter hier den jungen Spinoza spielen läßt, reine Erfindung.

Wie sich im einzelnen Spinoza unter diesen Verhältnissen entwickelte, wissen wir nicht. Sicher ist nur, daß er frühzeitig Verlangen trug, die Wissenschaft der Neuzeit kennenzulernen. Vorbedingung dazu war damals die Kenntnis der lateinischen Sprache, die noch durchaus die Sprache der Gelehrten war, in der jüdischen Schule aber keinen Gegenstand des Unterrichts bildete. Bei der Wahl seines Lehrers hatte er Glück; denn dieser konnte dem wissensdurstigen Jüngling mehr geben als Kenntnis des Lateinischen. Franziscus van den Ende, als Katholik geboren, aber dem Kirchenglauben entfremdet, war mit der Naturwissenschaft und mit der Philosophie des Descartes vertraut. Bei ihm muß Spinoza die Schriften des Descartes zuerst gesehen und gleichzeitig seine Kenntnisse lebender Sprachen erweitert haben. Spinoza war in dieser Beziehung von vornherein begünstigt; denn neben seiner Muttersprache, dem Spanischen, war ihm naturgemäß von Jugend auf das Holländische bekannt. Dazu erlernte er nun mehrere andere Sprachen, besonders Französisch und Italienisch.

Die neue Bildung und die veränderten Überzeugungen trennten Spinoza von seinen Glaubensgenossen. Zwar lag ihm jeder Gedanke an agitatorische Wirksamkeit fern, aber es war ihm auf die Dauer noch weniger möglich, bei gänzlich veränderten Überzeugungen die streng gebundene Lebensweise eines orthodoxen Juden zu führen. Mit dem Tode des Vaters 1654 scheint für ihn der wichtigste Grund zu äußerer Anbequemung gefallen zu sein; seitdem besuchte er die Synagoge nicht mehr, übertrat die Speisegesetze und verkehrte viel mit freisinnten Christen. Naturgemäß erregte das Anstoß.

Aber die Juden hätten gern Aufsehen vermieden, fürchteten wohl auch, daß das Verhalten eines Menschen, auf den die Rabbinen solche Hoffnungen gesetzt hatten, Nachahmung finden würde. Man versuchte ihm daher mit Geld beizukommen und versprach ihm ein Jahresgehalt, wenn er sich wenigstens äußerlich der jüdischen Sitte fügte. Erst als Spinoza diesen schimpflichen Vorschlag zurückgewiesen hatte, wurde er als Abtrünniger verfolgt. Sein Schwager und seine Schwester machten seinen Abfall geltend, um ihm den Anspruch auf das väterliche Erbe zu bestreiten. Er nahm die holländischen Gerichte in Anspruch, siegte, wie zu erwarten war, und überließ dann freiwillig den Geschwistern das Erbe, während er sich nichts als ein Bett vorbehielt.

Jugend. Bann

Die Rabbinen ergriffen schließlich die äußersten Maßregeln gegen ihn; im Jahre 1656 wurde er mit dem großen Banne belegt und aus der Gemeinde ausgestoßen. Die aus dem frühen Mittelalter stammende Bannformel lautete fürchterlich genug. Dies sind ihre wichtigsten Sätze:

»Nach dem Beschlusse der Engel und dem Ausspruche der Heiligen, mit Zustimmung des heiligen Gottes und dieser ganzen Gemeinde bannen, verstoßen, verwünschen und verfluchen wir Baruch d'Espinoza« ... – »Verflucht sei er am Tage und verflucht sei er bei Nacht, verflucht beim Niederlegen und verflucht beim Aufstehen, verflucht bei seinem Ausgang und verflucht bei seinem Eingang. Gott möge ihm nie verzeihen!« ... »Wir verordnen, daß niemand mit ihm verkehre, nicht mündlich und nicht schriftlich, niemand ihm eine Gunst erweise, niemand unter einem Dache oder innerhalb vier Ellen mit ihm zusammen sei, niemand ein von ihm verfaßtes oder geschriebenes Werk lese.«

Der Bann bedeutete für Spinoza die Trennung von allen Genossen seiner Jugend; wie es scheint, hat später kein Jude mehr zu seinem Umgangskreise gehört. Aber damit nicht zufrieden, suchten die Rabbinen auch seine bürgerliche Existenz zu vernichten; sie zeigten ihn der protestantischen Geistlichkeit als einen religionsgefährlichen Menschen an und bewirkten seine Ausweisung aus Amsterdam. Allzuviel erreichten sie damit nicht; denn infolge der toleranten Haltung der weltlichen Behörden konnte er in einem Dorfe, wenige Meilen von der Hauptstadt entfernt, ruhig wohnen.

Spinoza mußte sein Leben ganz neu gestalten: er war entschlossen, nichts gegen seine Überzeugung zu tun, dabei aber Streit mit seiner Umgebung möglichst zu vermeiden. Er trat nie zum Christentum über, da er bei aller Verehrung für die persönliche Hoheit und die Moral Christi sich nicht zu den Glaubensformeln einer christlichen Kirche bekennen konnte. Am nächsten stand er einigen Sekten, die gleich ihm nur in Holland Duldung fanden,

Gemeinden, die den moralischen Lebenswandel für das Wesentliche am Christentum hielten und ihren Mitgliedern in dogmatischer Beziehung viel Freiheit ließen. Unter ihnen, den Mennoniten und Kollegianten, fand Spinoza Verkehr, ohne zu ihnen zu gehören.

Da er mittellos war und ihm jede öffentliche Anstellung, jede ausreichend bezahlte Unterrichtstätigkeit verschlossen blieb, mußte er durch seiner Hände Arbeit für seinen Lebensunterhalt sorgen. Er nutzte seine naturwissenschaftlichen Kenntnisse aus, indem er optische Gläser für Brillen und Fernrohre schliff. Infolge der astronomischen Entdeckungen bestand damals viel Nachfrage nach Fernrohren, während nur wenige kundige Männer die dazu nötigen Linsen schleifen konnten. Spinoza verdankte also die Möglichkeit, sich sein Brot durch eigene Arbeit zu erwerben, der modernen Naturwissenschaft, nicht etwa, wie man manchmal lesen kann, dem Talmud. Man behauptet nämlich öfter, daß Spinoza einer talmudischen Vorschrift gefolgt sei, die von jedem Gelehrten die Erlernung eines Handwerks fordere. Aber es handelt sich dabei *nicht* um eine *Vorschrift*, sondern nur um einen *Rat*, der meist unbefolgt blieb; und vollends das Schleifen optischer Gläser hätte Spinoza als Talmudschüler nicht erlernen können.

Lebensart. Schriften

Alle Zeit, die ihm sein Handwerk frei ließ, widmete er seinen Studien. Schlicht und bescheiden lebte er anfangs in einem Dorfe bei Amsterdam, später bei Leiden, in der Nähe des Haag und schließlich im Haag. Dieser Aufenthaltswechsel und die Zurückgezogenheit könnte an Descartes erinnern. Aber zwischen beiden Männern bestand ein großer Unterschied. Descartes, als Edelmann geboren, wohlhabend, unabhängig, wählte sich die Einsamkeit; dem gebannten Juden, der sich sein Brot verdienen mußte, war sie aufgenötigt. Trotzdem oder vielmehr gerade deshalb nahm Spinoza an dem Geschick der ihn umgebenden Bevölkerung weit mehr Anteil als Descartes. Die Glaubensfreiheit Hollands, die seinen Eltern Zuflucht gewährt hatte und ihm trotz aller Anfechtungen Sicherheit bot, war bedroht; denn die kalvinistische Geistlichkeit, der sich aus politischen Gründen das Haus der Oranier anschloß, erstrebte die Alleinherrschaft ihrer Kirche. In diese Streitigkeiten griff Spinoza 1670 durch eine anonym erschienene Abhandlung, den *theologisch-politischen Traktat*, ein. Wie der Name sagt, behandelt dieses Buch das Verhältnis von Theologie und Politik, von Kirche und Staat, und zwar kämpft es für die Oberherrschaft des Staates und gegen den politischen Einfluß der Geistlichkeit. Zugleich erschüttert Spinoza den Anspruch der Bibel auf göttlichen Ursprung durch eine historische Kritik am Alten Testament, zu der seine jüdische Jugendbildung ihn befähigte. Die kühne Schrift erregte großes Aufsehen: ebenso allgemein wie die Entrüstung war der Wunsch, sie zu lesen. Eine Fülle von Gegenschriften entstand, und der Verfasser, der trotz der Anonymität bald erkannt wurde, hatte die Folgen seines Unterfangens zu spüren. Persönliche Freunde wandten sich von ihm ab, zeitweise schien es, als solle mit dem Buch auch der Verfasser verfolgt werden. Vor ernsthafter Gefahr schützte ihn die Gönnerschaft des Jan de Wit, damals noch der Leiter der holländischen Politik. Indessen schon war de Wits Stellung nicht ohne eigne Schuld erschüttert; denn dieser sonst untadelhafte, stolze Aristokrat hatte das Landheer gegenüber der Flotte vernachlässigt und dadurch den Widerstand gegen das Eindringen der Heere Ludwigs XIV. geschwächt. Die Erbitterung des Volkes darüber, von den Priestern aufgestachelt, führte 1672 zu der gräßlichen Ermordung Jan de Wits und seines Bruders. Leidenschaftliche Empörung über diese Schandtat ergriff den sonst so gelassenen Philosophen. Er wollte, um seiner Entrüstung Ausdruck zu geben, an den Hausmauern ein Plakat anheften, in dem er die Bewohner des Haag für die niedrigsten aller Barbaren erklärte. Unzweifelhaft wäre er bei diesem nutzlosen Beginnen der Volkswut zum Opfer gefallen, wenn ihn sein Hauswirt nicht eingeschlossen und dadurch an der Ausführung seines Vorhabens gehindert hätte.

Aus den äußeren Verhältnissen begreift man, warum zu Spinozas Lebzeiten nur eine Darstellung der Philosophie des Descartes unter seinem Namen erschien; entstanden war diese Schrift für einen Schüler, den Spinoza nicht als reif genug ansah, um ihm die eigene Lehre mitzuteilen. Dies Buch verschaffte dem gebannten Juden einen Ruf an die Universität Heidelberg. Aber so ehrenvoll ein solches Zeichen freier Gesinnung für den Landesherrn, den Kurfürsten Karl Ludwig von der Pfalz, ist – so wenig wäre die Ausführung auf die Dauer möglich gewesen. Stand doch in dem an Spinoza gerichteten Briefe neben der Zusicherung der Lehrfreiheit die Erwartung, daß er nichts gegen die Kirche sagen werde. Spinoza wußte, daß Konflikte nicht ausbleiben konnten, und in der klaren, ruhigen Weise, in der er seine persönlichen Angelegenheiten stets besorgte, lehnte er den ehrenvollen Ruf ab. Sein Leben blieb unverändert, aber die doppelte Anstrengung geistiger und körperlicher Arbeit und der Glasstaub, der beim Schleifen entsteht, scheinen seiner zarten Natur geschadet zu haben, er wurde lungenkrank und starb 1677, erst 45 Jahre alt.

Bald nach seinem Tode wurden seine hinterlassenen Schriften, darunter sein Hauptwerk, von seinen Freunden herausgegeben. Spinoza nannte dieses Hauptwerk Ethik, d. h. Lehre vom Sittlichen oder vom rechten Leben. Schon in diesem Titel zeigt sich die Verschiedenheit seines Strebens von dem seines Lehrers Descartes. Für jenen war die Erkenntnis als solche Lebensziel, Spinoza aber wollte durch seine Erkenntnis vor allem die richtige Lebensart finden. Zwang ihn doch schon seine äußere Lage, viel mehr über die Lebensführung nachzudenken. Descartes konnte, während er eine Revolution in seinen Gedanken machte, äußerlich in den Formen seines Standes weiterleben; Spinoza mußte, durch den Bann ausgestoßen, nirgends zugehörig, sich sein ganzes Dasein nach eigenen Grundsätzen aufbauen. Weit wichtiger aber als diese äußeren Dinge war ein tief innerer Unterschied der Naturen. Descartes hatte, wenn man so sagen darf, alle Leidenschaft nur im Kopfe. Die ganze Wärme seiner Natur gehörte dem Suchen nach klarer Erkenntnis; außerhalb dieses Gebietes war er kühl. Selbst seine unzweifelhaft aufrichtige christliche Frömmigkeit war mehr Verstandes- als Herzenssache. Spinoza dagegen war eine durch und durch religiöse Natur, ganz erfüllt von dem Streben nach inniger Vereinigung mit Gott. Im Dienste des Strebens stand für ihn die Erkenntnis. Gerade weil er tief religiös und zugleich Denker war, konnte er sich keiner herrschenden Kirche anschließen. Für Naturen, in denen entweder die Klarheit des Denkens weniger groß ist oder die Gewalt des religiösen Gefühles zurücktritt, ist die äußere Anpassung leichter. Man muß diese tief in Spinozas Natur angelegten Bestrebungen: *ein sittlich religiöses Leben durch das Denken zu begründen*, mit den am Anfang dieses Vortrags dargelegten folgerichtigen *Weiterbildungen der Lehre des Descartes* zusammennehmen, um Spinozas Philosophie zu verstehen.

Form und Inhalt der Ethik

Spinozas Hauptwerk ist in einer eigentümlichen Form geschrieben. Da die Geometrie für ihn das Vorbild strenger, wissenschaftlicher Beweise war, bildete er seine Darstellung dem berühmten griechischen Lehrbuch der Geometrie, dem Werke des Euklid, nach. Wie ein Mathematiker beginnt er mit Grundsätzen, deren Wahrheit nach seiner Überzeugung selbstverständlich ist, und mit Erklärungen oder Definitionen der Grundbegriffe. Von diesen Voraussetzungen aus beweist er dann die einzelnen Lehrsätze. Diese Form müssen wir der Verständlichkeit unsrer Darstellung zuliebe ganz unberücksichtigt lassen. Aber es ist doch hervorzuheben, daß die Wahl der geometrischen Darstellung keine willkürliche Laune Spinozas ist, sondern mit dem Inhalt seiner Lehre aufs engste zusammenhängt. Schon Descartes hatte gelehrt, man dürfe nur annehmen, was sich mit derselben Klarheit wie die Sätze der Mathematik einsehen läßt. In einer Art Umkehrung dieses Satzes hatte er ferner geschlossen, daß das klar und deutlich Erkannte an sich auch wahr sei. Folgerichtig war es nun, die Durchführbarkeit einer Darstellung, in der jede Behauptung mathematisch streng bewiesen wird, als Prüfstein für die Wahrheit des philosophischen Systems anzusehen. So wenig also Spinoza seine Grundüberzeugungen durch geometrische Beweise gewonnen hat, und so künstlich einem modernen Leser diese Beweise vielfach zu sein scheinen, so notwendig war doch für Spinoza seine Philosophie erst vollendet, als er sie in jene strenge Form zu kleiden vermochte.

Descartes hatte die Gottheit als den Inbegriff aller Vollkommenheit gefaßt.

Von diesem Gedanken eines allervollkommensten Wesens geht Spinoza aus. Da für ihn wie für seinen Lehrer in jeder Wirklichkeit eine Vollkommenheit liegt, muß alle wahre Wirklichkeit Gott angehören. Gott fällt so zusammen mit der Welt; denn unter Welt verstehen wir die Einheit, den inneren Zusammenhang aller Dinge. Gott ist das All, das All ist Gott. Man nennt diese Lehre *Pantheismus* (griechisch von »pan« All und »theos« Gott), und wir haben bereits gesehen, daß der Pantheismus aus den Voraussetzungen des Descartes notwendig folgte: Er hat aber noch eine andere Wurzel: im religiösen Erleben. Für die rohen Anfänge der Religion bedeutet ein Gott ein übermächtiges Wesen, das dem Menschen schaden oder nützen, wie ein Feind oder wie ein Schirmherr gegenüberstehen kann; so verhielt es sich z. B. bei den Griechen, wie Homer sie schildert. An die Schirmherrschaft eines Gottes über sein Volk schließt sich der Gedanke an, daß die Volkssitte von diesem Gotte stammt und geschützt wird. Gott wird der gerechte Herrscher, dann der liebende Vater des Menschen. Die zunächst als äußeres Gebot befolgte Sitte verklärt sich mehr und mehr zu einer von der Stimme des Gewissens geforderten Sittlichkeit. Je inniger der religiöse Mensch das als Gottesgebot empfundene Sittengesetz mit seinem eigenen Wesen verknüpft fühlt, um so mehr empfindet er die Gottheit in sich selbst wirksam. Aber in uns widerstrebt etwas dieser göttlichen Wirkung, eine Fremdheit bleibt, die zugleich Unseligkeit ist. Ihre Ursache wird darin gefunden, daß wir uns an einzelne Dinge hingeben. Von ihnen müssen wir uns abwenden, dann werden wir mit Gott eins werden. Daher finden wir bei christlichen, jüdischen und mohammedanischen Gottesgelehrten des Mittelalters vielfach den Gedanken, daß der wahrhaft fromme Mensch im Innersten seines Wesens mit der Gottheit zusammenfällt. Wie der Mensch auf der höchsten Stufe der Gott-Innigkeit sich mit Gott eins fühlt, so ist in seinem Kerne jedes Ding eins mit Gott, alle Getrenntheit von Gott ist Schein und Folge des Abfalls. Vereinigung mit Gott finden heißt zugleich, Gott als Kern aller Dinge erkennen. Diese Art der Frömmigkeit, die durch Versenkung aller Gedanken in die Gottheit die volle Vereinigung des Menschen mit Gott sucht, heißt*Mystik*, und wir können demnach sagen, daß alle Mystik zum Pantheismus strebt. *In Spinoza nun trifft eine mystische Religiosität mit jenem verstandesmäßig* (rationalistisch) *aus der Lehre des Descartes entstandenen Pantheismus zusammen.*

Gott ist das allervollkommenste Wesen und der Inbegriff alles Seins, nichts ist außer ihm, also ist er das einzige, was Substanz heißen darf. Aus Wesen und Begriff dieser einzigen, unendlichen, alles umfassenden Substanz muß nun alles einzelne Sein und Geschehen mit mathematischer Notwendigkeit folgen. Die Schöpfung der Welt kann also Spinoza nicht als eine freie Tat Gottes ansehen, die seine Willkür auch hätte unterlassen können; vielmehr ist die Einheit der Welt selbst Gott, es gehört zum notwendigen Wesen Gottes, sich in dieser Welt darzustellen. Alles einzelne ist nur wirklich, sofern es an der Gottheit teilhat. Daß es ein einzelnes ist, beruht auf seiner *Beschränktheit* und damit auf einer *Verneinung*. Diese Gleichsetzung von Einzelheit, Beschränkung und Verneinung wird Ihnen zunächst fremd vorkommen. Doch ist nicht schwer zu zeigen, was der Denker damit meint. Wir sind nur Mensch, indem wir nicht Tier, Pflanze und Stein sind, wir können einen bestimmten Lebensberuf nur ergreifen, indem wir auf alle anderen Möglichkeiten der Lebensgestaltung verzichten. So verstehen wir den Satz, mit Hilfe dessen Spinoza die Besonderheit der einzelnen Wesen aus der Einheit der Gottesnatur herzuleiten sucht: *Alle Bestimmtheit ist Verneinung.*

Gott

Gott oder die Natur oder das allervollkommenste Wesen ist durch und durch erkennbar, freilich nicht für unsern menschlichen Verstand, der selbst vereinzelt, bestimmt, beschränkt und daher mit der Verneinung behaftet ist. Aber sogar unser menschlicher Verstand kann allgemein die Notwendigkeit einsehen, mit der alles einzelne aus der Gottheit folgt, und beherrscht in der mathematisch erkennbaren Ordnung der körperlichen Bewegungen ein ihm zugängliches Teilgebiet der göttlichen Ordnung der Welt. Spinoza ist wie Descartes Anhänger der neuen naturwissenschaftlichen Auffassung der Körperwelt, nach der jede Bewegung aus dem vorangehenden Zustande der Körper notwendig und berechenbar folgt. Für ein Eingreifen des Geistes in die Körperwelt, wie wir es in jeder unserer Bewegungen zu erleben glauben, läßt diese Auffassung, wenn sie streng durchgeführt wird, keinen Raum. Alle körperlichen Bewegungen sind wieder nur durch andere körperliche Bewegungen hervorgerufen, unsere Armbewegung etwa durch eine Bewegung in unserem Gehirn. Nun haben wir aber als denkende Wesen Anteil an einer von der Körperwelt ganz verschiedenen Art des Seins. Dieses geistige Sein ist im Grunde vom Körper ebenso unabhängig, wie jener von ihm. Man sieht, Spinoza folgert aus der schroffen Entgegensetzung von Geist und Körper, wie Descartes gelehrt hatte, die Unmöglichkeit ihrer Wechselwirkung. Es entsteht daher für ihn die Aufgabe, das anscheinende Ineinanderwirken geistiger und körperlicher Geschehnisse zu erklären. In der göttlichen Einheit besitzt er das Mittel dazu. Alle einzelnen Dinge, Körper wie Seelen, sind nur notwendige Folgen und Einschränkungen der einen wahrhaft wirklichen Gottnatur. Diese ist nun so beschaffen, daß sie sich in unendlich vielen Weisen entfaltet und offenbart. Diese Entfaltungsweisen der Gottheit, deren jede von jeder anderen unabhängig, jede in ihrer Art unendlich ist, nennt Spinoza *Attribute*. Von den unendlich vielen Attributen der Gottheit sind uns nur zwei zugänglich, die Ausdehnung oder die Körperwelt und das Denken oder die Welt des Geistes. Beide sind völlig unabhängig voneinander; aber da beide derselben allumfassenden, göttlichen Einheit angehören, herrscht in beiden die gleiche gesetzliche Ordnung. Nicht unser Gedanke oder Willensentschluß bewegt unsern Arm; aber es ist in der Einheit Gottes begründet, daß, wenn wir den Arm bewegen wollen, zugleich aus der Notwendigkeit des körperlichen Geschehens eine Gehirnbewegung folgt, die Ursache der Armbewegung wird. Niemals erzeugt ein Gedanke eine Bewegung oder eine Bewegung einen Gedanken. Aber da Bewegungen und Gedanken aus derselben göttlichen Notwendigkeit folgen, ist *die Ordnung und Verknüpfung der körperlichen Dinge dieselbe wie die Ordnung und Verknüpfung der Gedanken.*

Körper und Seele

Notwendig folgt daraus weiter, daß jedem körperlichen Dinge ein seelisches Sein entspricht. Unsere Seele kann ja für Spinoza nicht wie für Descartes eine selbständige Substanz sein, vielmehr ist sie ein bloßes Stück der göttlichen Ordnung der Geisterwelt, das einem bestimmten Stück der göttlichen Ordnung der Körperwelt, eben unserem Körper, entspricht. Was von unserem Körper gilt, muß für jeden anderen ebenso zutreffen. Spinoza hat nicht mehr nötig, die Tierseelen zu leugnen, denn sie sind in seiner Welt keine Ausnahme; vielmehr gehört für ihn auch zu allem scheinbar Unbeseelten etwas Seelisches. Wir müssen uns aber sehr hüten, diese Überzeugung des Philosophen mit der poetischen Naturbeseelung zu verwechseln, die sich z. B. in der griechischen Göttersage findet. Für den Griechen lebt in Baum und Quell ein uns verwandtes, unsern Bitten zugängliches Wesen. Für Spinoza gehören wir selbst zu einer notwendigen Ordnung, die durch unsere Wünsche nicht im mindesten geändert werden kann. Von einem menschlichen Hineinfühlen in die Körperwelt ist gar keine Rede. Die nach innerer Zweckmäßigkeit den Lauf der Welten regelnden Sternseelen, die die Renaissance annahm, werden nicht etwa der neuen Astronomie zum Trotz wiederhergestellt – im Gegenteil: auch die Bewegung der Glieder unseres Leibes vollzieht sich nach unerbittlicher Notwendigkeit. Zwecke und Zweckmäßigkeit gibt es in der Natur nicht, nur Ursachen und ihre notwendigen Wirkungen. Genau die gleiche Notwendigkeit aber herrscht auch auf geistigem Gebiete. Jede Regung unserer Seele folgt ebenso unbedingt mathematisch aus Gottes Entfaltungsweise oder Attribut des Denkens, wie der Fall eines geworfenen Steines aus Gottes Attribut der Ausdehnung folgt. Darum betrachtet der Philosoph *die menschlichen Leidenschaften ohne Liebe und Abscheu*, mit der gleichen kühlen, verstandesmäßigen Ruhe wie die geometrischen Figuren. Auch sie folgen notwendig aus Gott und sollen in dieser Notwendigkeit verstanden werden.

Man sieht, in dieser streng einheitlichen und geordneten Welt ist *kein Platz für Freiheit des Willens*. Unsre Taten und Gedanken sind durch den göttlich natürlichen Zusammenhang so notwendig bestimmt, wie die Umdrehung der

Erde oder der Fall des Steins. Wir halten uns nur für frei, weil wir die Ursachen unserer Handlungen nicht kennen. Auch der geworfene Stein würde, wenn das ihm entsprechende Denken entwickelt genug wäre sich diese Frage zu stellen, meinen, er sei frei. Denn er würde die werfende Hand und die Anziehung der Erde nicht genügend erkennen. Ebensowenig hat diese Welt Raum für Unterschiede von gut und böse, von schön und häßlich. Alles einzelne folgt ja mit gleicher Notwendigkeit aus Gott. Nennen wir etwa ein Tier schädlich, so beziehen wir es einseitig auf die unbedeutende, kleine, eingeschränkte Erscheinung Gottes, die wir selbst sind. In der Ordnung des Weltganzen, der Gottheit, hat die Giftschlange dasselbe Recht wie der Mensch; und für die Giftschlange ist der Mensch, der sie totschlägt, mit gleichem Recht böse wie die Schlange für den Menschen. Auch können wir durch unsern Entschluß nichts an der Welt und folglich auch nichts an uns selbst ändern; sind wir doch ganz und gar Folgen der Weltordnung.

Nahe liegt hier die Folgerung, es hätte keinen Sinn, Vorschriften für das Verhalten der Menschen zu geben. Indessen dies wäre ein verzweifelter Abschluß für ein Werk, das den Titel Ethik führt und vor allem eine Anweisung zum rechten Leben erteilen will. In der Tat bemerken wir hier einen Bruch in dem scheinbar so fest geschlossenen System Spinozas. Ich habe meine Darstellung absichtlich so eingerichtet, daß Sie diesen Bruch deutlich erkennen. Wir verfahren im Sinne Spinozas, wenn wir unbekümmert um die Rücksicht auf seine Person und seinen Ruhm die Wahrheit suchen und sagen. Spinoza selbst hat die Schroffheit dieses Bruches *nicht* empfunden. Hätte ich Sie *den* Weg zu seinem Lebensideale geführt, den er selbst ging, so wäre sicherlich auch den meisten von Ihnen der Widerspruch verborgen geblieben. Denn es besteht zwischen Spinozas System und seiner Lebensweisheit zwar kein logisch unanfechtbarer Zusammenhang, aber eine um so engere Einheit persönlichen Erlebens, die wir nachzuerleben versuchen müssen.

Der einzelne Mensch existiert als Einzelwesen nur durch Verneinung, durch Einschränkung des göttlichen Seins auf seine enge Eigenart. Jedes einzelne Wesen sucht sich selbst zu erhalten. Sofern es dabei an seine Besonderheit denkt, kann es in Streit mit anderen Wesen kommen. Denn es wird dann leicht geschehen, daß mehrere den Besitz desselben Dinges zur Erhaltung oder Ausbreitung ihrer Macht nötig zu haben glauben. Wenn aber der Mensch erkannt hat, daß alle Dinge, alle andern Menschen und er selbst in Wahrheit zu demselben Wesen, zur Gottheit, gehören, wird das anders. Der Mensch, sofern er denkendes Wesen ist, hat so viel Wirklichkeit in sich, wie er Gotteserkenntnis besitzt. Hat er das einmal recht eingesehen, so weiß er, daß die wahre Erhaltung und Erhöhung seines Wesens einzig in der Gotteserkenntnis besteht. Da die ganze Ordnung der Natur die Gottheit offenbart, so führt jede wirkliche Einsicht in den notwendigen Zusammenhang der körperlichen oder der geistigen Dinge zu Gott. Soweit Menschen überzeugt sind, daß ihr wahres Wesen, ihre echte Selbsterhaltung in der Erkenntnis besteht, können sie nicht mehr in Kampf miteinander geraten. Denn diese wahre Einsicht ist kein Gut, das dem einen durch den andern entrissen werden könnte, im Gegenteil muß jedem daran liegen, daß möglichst viele seine Einsicht teilen, damit er mit seinen Mitmenschen in Eintracht leben kann. In der wahren Erkenntnis hören wir auf, einzelne Menschen zu sein. Jeder wahre Satz ist ja wahr ohne Rücksicht auf die besonderen Eigenschaften dessen, der ihn denkt.

Erkenntnis und Gottesliebe

Bis hierher spricht Spinoza verstandesmäßig kühl und nüchtern. Nun aber in den letzten Sätzen seines Werkes bricht die Wärme seines religiösen Gefühls durch. Jene Gotteserkenntnis führt zugleich zur *Liebe zu Gott.* Denn sein eigenes wahres Wesen liebt jeder, und in der rechten Gotteserkenntnis erfaßt der Mensch dieses Wesen als Einheit mit Gott. Hier berührt sich Spinoza am innigsten mit der Mystik. Aber was der Mystiker durch religiöse Übungen oder durch Abscheidung von der Welt und Versenkung in sein eigenes Inneres zu erreichen sucht, die Vereinigung mit der Gottheit, das erstrebt Spinoza auf dem Wege verständiger Erkenntnis. Auf der höchsten Stufe führt diese Erkenntnis dazu, in allem, was geschieht, die eine große notwendige göttliche Ordnung zu erblicken und zu lieben. Diese Liebe verzichtet auf die Möglichkeit der Gegenliebe. Wer Gott wahrhaft erkannt hat, weiß ja, daß Gott kein einzelnes Wesen neben anderen Wesen, sondern die einheitliche Ordnung der Welt ist. Die Gottheit würde erniedrigt werden, wenn sie irgendeinen Teil der Welt, der ja ein besonderer Teil nur durch Verneinung ist, mit besonderer Liebe umfaßte. Der echte Liebende will doch aber das Geliebte nicht herabziehen. »*Wer Gott wahrhaft liebt, wünscht nicht, daß Gott ihn wieder liebt.*« Die echte Gottesliebe ist also im höchsten Maße uneigennützig.

Als Goethe mitten in den leidenschaftlichen Stürmen seiner Jugend auf diesen Satz Spinozas stieß, fand er darin einen tiefen Frieden. Goethe war nicht, wie man oft lesen kann, im eigentlichen Sinne Anhänger Spinozas, aber der Gedanke einer göttlichen Einheit der Welt und das uneigennützige Gefühl der Liebe zu dieser Gottnatur begleiteten ihn durch sein reiches Leben. Mit diesen letzten Sätzen, in denen sich die Persönlichkeit des Weisen rein offenbart, wollen wir heute schließen. Es liegt eine tiefe innere Wahrheit in dieser uneigennützigen Gottesliebe, auch wenn es Spinoza nicht gelungen ist, sie ohne Widerspruch mit den Voraussetzungen seiner Philosophie zu verbinden.

Spinoza
Nach Seydlitz, Historisches Porträtwerk

Fünfter Vortrag.
Kant.

Schwierigkeiten der Metaphysik

Die wunderbare Einheit und Geschlossenheit, durch die Spinozas System jeden Denkenden fesselt, hält, wie schon im vorigen Vortrag angedeutet wurde, vor einer schärferen Kritik nicht stand. An zwei Punkten besonders zeigen sich Schwächen und Lücken. Spinoza sagt, daß alles einzelne mit mathematischer Notwendigkeit aus Gott folgt. In Wahrheit aber vermag er nicht, aus dem Begriffe des allervollkommensten Seins herzuleiten, warum die Welt, die wir durch unsere Erlebnisse kennen, so und nicht anders ist. Nicht einmal die Existenz und Verschiedenheit von Geist und Körper wird strenggenommen aus den Voraussetzungen entwickelt, sondern ohne Beweis hingestellt. Gott als das denkbar Vollkommenste soll sich in unzähligen, voneinander unabhängigen Daseinsarten darstellen. Wir aber kennen nur zwei dieser Arten, Ausdehnung und Denken. Warum gerade diese zwei und warum haben diese zwei gerade die uns bekannten Eigenschaften? Auf solche Fragen bleibt Spinoza die Antwort schuldig. Der allgemeine Satz, jede Bestimmtheit ist Verneinung, täuscht ihn über diese Schwierigkeiten hinweg, bietet aber in Wahrheit keine Hilfe. Dadurch, daß etwas nicht Ausdehnung ist und auch keiner anderen Grundeigenschaft Gottes angehört, wird es durchaus noch nicht als Denken bestimmt. Wir hatten den Sinn des Grundsatzes, jede Bestimmung ist Verneinung, an dem Beispiele klar gemacht, daß ich als Mensch nicht Tier, als Mann nicht Frau bin; aber läßt sich wirklich der Inhalt, den ich unter Mensch oder Mann verstehe, durch Verneinung von Tier oder Frau gewinnen? Diese Frage so stellen, heißt sie verneinen. Die Bestimmtheit des einzelnen ist überall unableitbar; daß in diesem Augenblicke diese Farbe von mir gesehen, dieser Ton gehört wird, daß blau und rot in nicht weiter beschreibbarer Weise voneinander verschieden sind, vermögen wir niemals aus allgemeinen Gründen abzuleiten. Wollte man sich hier mit der Schwäche unserer Vernunft helfen, so müßten doch wenigstens die Grundeigentümlichkeiten der Welt aus Gottes Wesen heraus eingesehen werden können, wenn jene mathematische Notwendigkeit im Verhältnis von Gott und Welt für uns mehr als eine Sehnsucht unseres Erkennens sein sollte. Aber auch dies ist, wie wir gesehen haben, unmöglich.

Die zweite Hauptschwierigkeit besteht in der Verbindung von Spinozas Ethik mit seiner Lehre von Gott und Welt. Da alles mit gleicher Notwendigkeit aus Gott folgen soll, so kann es zwischen den einzelnen

Dingen keine Unterschiede des Wertes geben. Wir sehen das einzelne noch nicht in Gott, wenn wir es nützlich oder schädlich, gut oder böse nennen, sondern wir sehen es ganz einseitig in Beziehung zu unserer beschränkten, vergänglichen Eigenart. Was von den Dingen gilt, trifft durchaus auch für die menschlichen Handlungen zu. Auch sie folgen mit Notwendigkeit aus der göttlichen Weltordnung. Ein Geist, der diese Weltordnung ganz überschaute, würde mathematisch beweisen können, warum Peter wie ein Schurke, Paul wie ein Heiliger lebt. Was notwendig ist und nicht anders zu sein vermag, als es ist, dem kann man auch keine Vorschriften geben wollen, das versucht man nicht zu ändern. Niemand gibt der Erde den guten Rat, sich langsamer zu bewegen. Welchen Sinn hat es aber dann, den Menschen jene uneigennützige Gottesliebe zu empfehlen, da sie doch nur, soweit das aus Gottes ewiger Natur notwendig folgt, dazu gelangen können? Auch bezeichnet der Philosoph selbst das Verhalten des gottesliebenden Menschen als im höchsten Sinne richtig und gut, während er nach seinen eigenen Voraussetzungen kein Recht zu solchen Werturteilen hat.

Vielleicht wundern sich manche unter Ihnen darüber, daß ich Sie solange mit einem Denker beschäftigt habe, dem ich nachher solche Irrtümer und Widersprüche vorwerfen muß. Ich möchte darauf zunächst erwidern: Nicht ich bin es, der diese Schwächen Spinozas gesehen hat, sondern der Fortschritt der philosophischen Einsicht macht es uns heute leicht, den großen Philosophen zu kritisieren. Er selbst hat durch die Folgerichtigkeit und Energie seines Denkens viel dazu beigetragen. Denn nur die ganz klare Durchbildung einer Lehre vermag die in ihr liegenden Schwierigkeiten zu enthüllen. Es klingt sehr gut, wenn man sagt, Gott ist die notwendige Weltordnung, wir müssen einsehen, daß alles einzelne notwendig aus Gott folgt, und müssen alles, es sei wie es sei, in gleicher Weise als Ausfluß der göttlichen Natur verstehen und lieben. Erst die Durchbildung dieser Sätze zum System lehrt uns, daß, wenn alles mit gleicher Notwendigkeit aus Gott folgt, jede Forderung, an ein Einzelwesen, sich zu ändern, und also auch die Forderung zur Gottesliebe fortzuschreiten, sinnlos wird. Es kommt nun aber hinzu, daß diese Schwierigkeiten nicht etwa nur in Spinozas System sich finden, sondern daß jeder Philosoph, der ähnliches will, ihnen verfallen muß.

Die großen Leistungen unseres Erkennens bewirken Vereinigung vorher getrennter Gebiete. Beispiele aus den einzelnen Wissenschaften liegen nahe; unsere Physiker haben gelernt, Licht und Elektrizität als verschiedene Formen desselben Geschehens anzusehen, unsere Botaniker und Zoologen bemühen sich, die unzähligen Arten der Pflanzen und Tiere aus der Entwicklung einer oder weniger Urformen abzuleiten. Jeder solche Fortschritt verbindet zu sinnvollem Zusammenhang, was vorher fremd und zufällig nebeneinander stand. Dieses Einheitsstreben unseres Geistes führt schließlich zu dem

Bemühen, alle einzelnen Dinge und Ereignisse aus einem einzigen obersten Satze durch Vernunft abzuleiten. Da aber doch die Wahrnehmungen in all ihrer Verschiedenheit bestehen bleiben, behauptet ein solcher Satz das Dasein einer wahren Wirklichkeit, im Vergleich mit welcher unsere Wahrnehmungen, ja diese ganze Welt wechselnder Geschehnisse unwirklich sind. Für Platon stellt die Ideenwelt, für Spinoza die einheitliche Gottnatur jene wahre Wirklichkeit dar. Man nennt diese Bemühungen, sofern sie als Wissenschaft auftreten, *Metaphysik*. Es läßt sich nun ganz allgemein beweisen, daß *jede* Metaphysik zu ähnlichen Schwierigkeiten führen muß, wie wir sie aufgedeckt haben.

Spinozas System ist nicht etwa der *letzte* große Versuch einer solchen Metaphysik. Die Sehnsucht, alle die zerstreuten Einzelheiten der Welt als notwendige Einheit zu begreifen, hat vielmehr immer wieder zu neuen metaphysischen Systemen geführt, von denen einige sehr wichtig und lehrreich sind. Nur wegen des geringen Umfanges dieser Vorträge, und weil ich bei den meisten unter Ihnen keine besonderen Vorkenntnisse voraussetzen darf, habe ich mich begnügen müssen, an dem einen großen Beispiel Spinozas den Flug und den Sturz der Metaphysik klarzumachen. Denn nur, wenn Sie diesen Zwist zwischen der höchsten geistigen Sehnsucht und dem Können des Menschen eingesehen haben, werden Sie die große Leistung *Kants* verstehen.

Geschichtlich hängt Kant nicht unmittelbar mit Spinoza zusammen, sondern mit einem jüngeren Zeitgenossen des gebannten Juden, mit *Gottfried Wilhelm Leibniz*. Dieser große Deutsche hat unter allen Denkern vor Kant vielleicht am tiefsten die Schwierigkeiten der Metaphysik eingesehen. Trotzdem bildete er ein metaphysisches System aus, das sich vom Spinozismus hauptsächlich durch die Bemühung unterschied, der Eigenart der einzelnen Dinge und der Selbständigkeit der einzelnen Geister gerecht zu werden. Leibniz war ein Forscher von beinahe unbegreiflicher Vielseitigkeit, während die große Einheit seines philosophischen Strebens ihn vor zersplitternder Vielwisserei schützte. Gerade diese besondere Art seiner Größe hindert eine kurze und zugleich allgemein verständliche Darstellung seiner Lehre. Fortgewirkt haben Leibnizens Gedanken in der Form, die *Christian Wolff* ihnen gab, kein großer ursprünglicher Denker, aber ein um die Verbreitung philosophischer Bildung höchst verdienter Mann. Vor allem dürfen wir Deutschen es ihm nicht vergessen, daß er die Philosophie deutsch reden lehrte, während vorher deutsche Philosophen meist lateinisch oder französisch geschrieben hatten, und daß er die deutschen Universitäten wieder zu Arbeitsstätten fortschreitender Wissenschaft und gründlicher Philosophie erhob. Wolff war durchaus Metaphysiker und fest überzeugt, daß unser vernünftiges Denken imstande sei, den wahren, einheitlichen Zusammenhang der ganzen Welt zu erkennen. Recht bezeichnend nennt er ein deutsches

Werk, das eine kurze Darstellung seiner Lehre gibt: Vernünftige Gedanken von Gott, der Welt und der Seele des Menschen, auch allen Dingen überhaupt. In der Lehre dieses Mannes wurde Kant erzogen, Kant, dem es vorbehalten war, unter Ablehnung der Metaphysik im alten Sinne der Philosophie die richtige Aufgabe und den wahren Weg zu ihrer Lösung zu zeigen.

Leben

Das Leben Immanuel Kants ist schlichter, ereignisärmer als das irgendeines unter den bisher behandelten Philosophen. Es fehlt in ihm die unmittelbare Teilnahme am Staatsleben, es fehlen große Reisen, äußerlich bemerkbare Umschwünge, wirklich gefährliche Verfolgungen. Weder wirkte er in der großen Welt, noch stellte er sich der Lebensart seiner Zeitgenossen auffällig entgegen, sondern er führte das stille Arbeitsleben des Lehrers an einer kleinen deutschen Hochschule. *Immanuel Kant* wurde 1724 in Königsberg als Sohn eines armen Handwerkers geboren. Die Familie war fromm im Sinne einer innerlichen lebendigen protestantischen Frömmigkeit, wie der Pietismus sie damals pflegte. Das Interesse eines einflußreichen pietistischen Geistlichen ermöglichte dem begabten Knaben eine höhere Ausbildung. Nach Beendigung der Schule widmete sich Kant an der heimischen Universität dem Studium der Philosophie im weitesten Sinne des Wortes, wozu damals auch Mathematik und Physik gehörten. Neben der Lehre *Wolffs* gewann die *Naturwissenschaft* großen Einfluß auf ihn. Seit den Zeiten eines Descartes hatten Astronomie und Physik große Fortschritte gemacht. *Newton* war es gelungen nachzuweisen, daß die gleiche Gesetzmäßigkeit der Schwerkraft den Fall schwerer Körper auf der Erde und die Bewegungen der Gestirne beherrscht. Die mathematisch geleitete Erforschung und die mit ihr eng verbundene mechanistische Auffassung der Körperwelt, die im 17. Jahrhundert noch um ihre Anerkennung kämpfte, hatte sich allgemein durchgesetzt. Für Kants spätere Philosophie ist es sehr wichtig, daß nicht nur in der Mathematik, sondern auch in der Naturwissenschaft allgemein anerkannte Ergebnisse ihm vor Augen standen. Seine ersten Schriften waren zum großen Teil naturwissenschaftlichen Inhalts. Hervorzuheben ist unter ihnen die 1755 erschienene »Allgemeine Naturgeschichte und Theorie des Himmels«, in der er die Entstehung des Sonnensystems mechanisch zu erklären versuchte.

Seinen wahren Beruf entdeckte Kant früh; was ihn äußerlich hinderte, der inneren Stimme zu folgen, überwand sein fester Wille. Entschlossen, sich ganz der Wissenschaft zu widmen, erwarb er sich die nötigen Mittel durch Hauslehrertätigkeit auf Gütern der Provinz Preußen; dann ließ er sich 1755 als Dozent in Königsberg nieder, erlangte aber trotz eifriger und erfolgreicher Tätigkeit als Lehrer und Schriftsteller erst 1770 eine ordentliche Professur. Schuld an dieser späten Beförderung war der Siebenjährige Krieg und in seinem Gefolge die Armut des preußischen Staates.

Kants Leben war aufs strengste geregelt. Berücksichtigt man, daß er von seiner Arbeit leben mußte, seine wissenschaftlichen Pläne durchführen wollte und auf seinen von Natur zarten Körper Rücksicht zu nehmen gezwungen war, so begreift man sein genaues Haushalten mit Zeit, Kraft und Geld. Er hatte den Grundsatz, niemals jemandem Geld schuldig zu sein. Wer auch an meine Tür klopfte, so erzählte er selbst, ich konnte ruhig öffnen; denn ich wußte, daß kein Gläubiger eintreten würde. Wie seine wirtschaftliche Selbständigkeit, so war auch seine Gesundheit sein eigenes Werk, und er hatte darum ein Recht, stolz auf sie zu sein. Streng regelmäßig verlief sein Tag. Seinen Spaziergang trat er stets so genau zur festgesetzten Stunde an, daß die Nachbarn, wie es heißt, ihre Uhr nach ihm stellten. Hatte er einmal einen allgemeingültigen Entschluß gefaßt, so hielt er unerbittlich daran fest. Selbst in verhältnismäßig geringen Angelegenheiten formte er sich derartige Grundsätze.

Das alles sieht fast pedantisch aus, aber es war in Wahrheit keine pedantische Schrulle, sondern die notwendige Bedingung seiner großen Leistungen. Wir dürfen uns Kant nicht als einen schon in der Jugend eingetrockneten Gelehrten und Büchermenschen vorstellen. Vielmehr war er in jüngeren Jahren als unterhaltender und witziger Gesellschafter sehr beliebt, auch bei Frauen, wie er selbst den Umgang mit klugen, feinen Frauen besonders schätzte. Er lebte als Junggeselle, aber keineswegs ungesellig, sondern suchte Verkehr besonders mit Männern des praktischen Lebens. Kaufleute und ein Forstmeister waren seine nächsten Freunde. Obwohl er seine Heimatprovinz nie, seine Heimatstadt höchst selten verließ, umspannte sein Gesichtskreis die ganze Welt. Reisebeschreibungen waren seine liebste Erholungslektüre; er wußte überall Bescheid, und die Welt lag offener vor ihm als vor manchem, der heute alle Meere durchfahren hat. Noch größer war seine Teilnahme für alles, was dem Wohl der Menschheit dient. An den Reformen der Erziehung, die damals vielfach versucht wurden, nahm er regen Anteil und gab sich z. B. viele Mühe, für Basedows Philanthropin Geld zusammenzubringen. Bis in seine mittleren Jahre hinein verfolgte er auch die schöne Literatur eifrig. Klopstocks Schwärmerei stieß ihn ab, Wieland war sein Lieblingsschriftsteller. Später freilich, als unsere Dichtung sich zu ihrer höchsten Blüte entfaltete, war Kant zu beschäftigt mit der Ausbildung seiner Philosophie, um noch jene ganz neue Welt der Poesie in sich aufnehmen zu können.

Dieser lebhafte, für alles Bedeutende empfängliche Geist spiegelt sich in dem Stil seiner Jugendwerke, der oft von feiner, etwas altmodischer Grazie ist. Als er freilich sein Hauptwerk ausarbeitete, lag die frische Jugend längst hinter ihm. Die ersten vorbereitenden Gedanken legte er 1770 beim Antritt seiner Professur in einer lateinischen Schrift nieder, aber es bedurfte noch 11 Jahre schweigender Arbeit, bis 1781 die *Kritik der reinen Vernunft*, das Hauptwerk Kants und der neueren Philosophie, erschien. Ihr Verfasser war damals bereits 57 Jahre alt. Noch blieb ihm Zeit und Kraft, die übrigen Teile seiner Philosophie auszuführen. 1788 erschien die *Kritik der praktischen Vernunft*, d. h. die Ethik, 1790 die *Kritik der Urteilskraft*, die zugleich seine Ästhetik und die Lehre von der organischen Natur enthält. Auch seine *Religionsphilosophie* vermochte er, anfangs durch die Zensur daran gehindert, nach Friedrich Wilhelms II. Tode herauszugeben. Dann aber nahte dem durch Arbeit geschwächten Körper das Alter mit allen seinen Leiden. Er mußte schließlich seine Lehrtätigkeit aufgeben und wurde 1804 fast achtzigjährig durch den Tod erlöst.

Kants Hauptwerk, mit dem wir uns heute beschäftigen wollen, ist schwer zu lesen und zu verstehen. Es ist in einer Sprache geschrieben, der man überall den Kampf um den richtigen und vollständigen Ausdruck der Gedanken anfühlt. Auch mußte Kant, um überhaupt von seinen Zeitgenossen verstanden zu werden, vielfach die Ausdrucksweise eben der Philosophie gebrauchen, die er widerlegte. Davon abgesehen, gewinnt der Stil dieses großen Werkes für den, der es wirklich versteht, einen ganz eigenen Reiz. Unter der starren Maske fremder Worte fühlt man das geistige Ringen und die beglückende, endlich erreichte Klarheit. Obwohl in der Darstellung fast jede Spur von Persönlichem ausgeschieden ist, macht sich die Persönlichkeit geltend. Von allem diesem Reize kann ich Ihnen nichts mitteilen, da ich die besonderen Schwierigkeiten der Kantischen Ausdrucksweise vermeiden muß. Auch der folgende Versuch, Kants Grundgedanken in allgemein zugänglicher Sprache wiederzugeben, wird an Ihre Aufmerksamkeit und an Ihre geistige Mitarbeit noch erhebliche Ansprüche stellen. Ich kann Ihnen diese Schwierigkeiten nicht ersparen; denn nur, wenn Sie einen Anteil an der Mühe der Wissenschaft gewinnen, wird Ihnen die Wissenschaft inneren Vorteil bringen. Es gibt eine Art von Popularisierung wissenschaftlicher Ergebnisse, die dem Hörer nur den Schaum zu leichtem Genusse bietet. Sie erzeugt den falschen Glauben, nun auf der Höhe wahrer Bildung zu stehen. Vergleichen möchte ich diese Art mit der künstlerischen Schilderung von Bauern, Seeleuten usw., die um die Mitte des 19. Jahrhunderts der erwachenden Anteilnahme an dem Geschick breiterer Volksschichten entgegenkam. Man stellte Landleute und Matrosen in sauberen, wie aus der Maskengarderobe geliehenen Sonntagskleidern in friedlicher Feierstimmung dar. Wir empfinden diese Kunst als Lüge. Wir wollen für das schwere Leben des Bauern und Arbeiters, wie es wirklich ist, Verständnis gewinnen. Dazu darf der Schmutz der Arbeit und die Schwielen an den Händen sowenig fehlen wie der Gesichtsausdruck, den der Lebenskampf aufprägt. Ebenso können Sie für die Wissenschaft Verständnis und Liebe nur gewinnen, wenn Sie an ihren Anstrengungen teilzunehmen suchen.

Rationalisten und Empiristen

Um Kants Leistung zu verstehen, müssen wir vollständiger als bisher wissen, woran er anknüpfte. Die Denker, die wir in den vorangehenden Vorträgen behandelten, stimmen alle darin überein, daß sie im vernünftigen Denken das Mittel des Erkennens erblicken. Nach dem lateinischen Worte ratio, Vernunft, nennt man sie daher *Rationalisten*. Aus reinem Denken heraus suchten sie sicheres Wissen von der Gesamtheit der Welt zu gewinnen. Wir sahen an Spinoza, in welche Schwierigkeiten ihr Streben sie verwickelte. Nahe lag infolgedessen der Einwand, daß ihre Voraussetzung falsch, daß das vernünftige Denken gar nicht die Grundlage sicheren Wissens sei. Schon vor Descartes hatte der englische Denker und Staatsmann *Francis Bacon*, mit dem praktischen Sinne seines Volkes das Nützliche ergreifend, eine andere Ansicht vom Erkennen aufgestellt. Können wir denn irgendeine noch so einfache wirkliche Einsicht aus der bloßen Vernunft herausholen? Schnee schmilzt bei Erwärmung zu Wasser, Wasser verdampft bei weiterer Erhitzung. Wir wissen das sicher – aber nur aus Erfahrung. Es gibt Flüssigkeiten, die – wie das Weiße im Hühnerei – beim Erhitzen fest werden, nicht flüssig. Durch Sammlung und Vergleichung solcher Erfahrungen werden wir reicher an Wissen; die Erfahrung, Einzelheiten häufend, vom Einzelnen zum Allgemeinen aufsteigend, gibt allein wahre Erkenntnis. Da Erfahrung auf griechisch **empeiria** heißt, nennt man diese Philosophen *Empiristen*. Von Descartes und von der Naturwissenschaft Newtons beeinflußt, hatte *John Locke* den Empirismus ausgebildet und im Laufe des 18. Jahrhunderts auch auf dem Festland Einfluß gewonnen. Indessen »Erfahrung« ist eine recht komplizierte Sache – der Satz, »erhitztes Wasser verdampft«, ist ja augenscheinlich erst das Erzeugnis vieler Wahrnehmungen und Überlegungen. Man hat zuerst das Wasser gesehen, seine Feuchtigkeit gefühlt, dann hat man die Wärme des Feuers empfunden, beim Eintauchen des Fingers wahrgenommen, wie das Wasser wärmer wurde, endlich sieht man Nebel aus dem Wasser sich erheben und in der Luft vergehen, das Wasser aufwallen und kochen, bemerkt schließlich, wie das Wasser weniger wird. Alle diese einzelnen Wahrnehmungen, die sich zu dem Satze »erhitztes Wasser verdampft« zusammenfinden müssen, verdanken wir unsern Sinnesorganen, dem Auge, der Haut usw., es sind Sinnesempfindungen. Alles Wissen beruht auf Erfahrung – aber alle Erfahrung ist zuletzt nur eine Summe von Sinnesempfindungen – zu dieser Lehre schreiten die englischen Denker und ihre französischen Gefolgsmänner naturgemäß fort. Sofern sie diese

Folgerung wirklich ziehen, nennt man sie nach dem lateinischen Worte **sensus** = Sinn: *Sensualisten.*

Nun ist ja gar nicht zu leugnen, daß jedem Erfahrungssatze Sinnesempfindungen zugrunde liegen. Das wußten natürlich auch die Rationalisten; aber sie behaupteten erstlich, daß es Erkenntnisse gebe, die keine Erfahrungssätze seien, und zweitens, daß auch den Erfahrungssätzen noch etwas mehr zugrunde liege als bloß einzelne Sinnesempfindungen, und daß in diesem »Mehr« der eigentliche Erkenntniswert der Erfahrung begründet sei. Wir sehen Farben, wir fühlen Härte, Wärme, Kälte, wir hören Töne – aber wir erfahren im Sehen, Fühlen, Hören sichtbare, harte, tönende Körper und die Vorgänge an diesen Körpern. Schon Platon hatte von solchen Tatsachen her die dem modernen Sensualismus verwandte Erkenntnislehre des Protagoras bekämpft. Die neueren Sensualisten suchten nun nachzuweisen, daß auch die Vorstellungen von Dingen, Vorgängen usw. aus lauter einzelnen Sinnesempfindungen bestehen. Wenn wir oft wahrnehmen, daß eine bestimmte Farbe mit einer bestimmten Tastempfindung, einem Geschmacke usw. zusammen da ist, so geben wir diesem Zusammensein einen Namen, wir erwarten dann gewohnheitsmäßig, daß in künftigen Fällen die gleichen Zusammenhänge wiederkehren, z. B. daß der harte, weiße, an den Kanten durchscheinende Gegenstand, den wir ein Stück Zucker nennen, auch wieder süß schmecken werde.

Humes Kausaltheorie

In ähnlicher Art erklärt *David Hume*, der bedeutendste unter den englischen Sensualisten, auch das Zustandekommen unserer Vorstellungen von Ursache und Wirkung. Wenn wir sagen: die Hitze bewirkt Verdampfen des Wassers, so meinen wir, das gibt Hume zu, mehr zu sagen, als: wir erleben erst Hitze und dann, unter Andauern der Hitze, Verminderung des Wassers und Dampfbildung. Wir sind ja alle überzeugt, daß, wo und wann wir auch Wasser in genügendem Grade erhitzen, wir seine Verwandlung in Dampf mit ansehen werden. Umgekehrt, wo immer wir eine Veränderung wahrnehmen, sind wir überzeugt, daß sie Folge einer bestimmten Ursache ist. Die Voraussetzung, daß alles Geschehen sich aus Ursachen erklärt, die notwendig immer dieselben Folgen hervorbringen, leitet alles Forschen; wir nennen sie, nach dem lateinischen Worte **causa** = Ursache, das Kausalgesetz. Wie kommen wir aber nun dazu, mit Hilfe des Kausalgesetzes aus den einzelnen Empfindungen allgemeine Schlüsse zu ziehen? Diese Frage muß der Sensualismus so beantworten, daß er das Kausalgesetz selbst auf Empfindungen zurückführt. Um das zu leisten, lehrt Hume: In unserem Geiste verbinden sich zwei Empfindungen, die gleichzeitig oder unmittelbar nacheinander erlebt wurden, z. B. Hitze und gesehener Dampf so, daß bei Wiederkehr der ersten Empfindung eine Erinnerung an die zweite auftaucht.

Die Vorstellungen verbinden (assoziieren) sich. Wir haben ein »Assoziationsgesetz« vor uns, das schon Aristoteles gekannt hat. Diese Verbindung wird um so enger, je häufiger wir die beiden Empfindungen zusammen erlebt haben. Das Auftreten der ersten läßt uns dann die zweite erwarten. Auf solchen aus Gewohnheit entsprungenen Erwartungen beruht unser Glaube an einen regelmäßigen Verlauf der Ereignisse. Nur Gewohnheit ist im Grunde jenes Gefühl der Notwendigkeit, das wir mit dem Kausalgesetz verbinden. Dieses Gefühl ist uns im Leben nützlich; es gibt unsern Handlungen die sichere Grundlage. An der Zweckmäßigkeit der Erwartung regelmäßiger Folgen zweifelt Hume gar nicht; aber er betont, daß es sich dabei nur um eine nützliche Gewohnheit, durchaus nicht um eine in den Dingen und Ereignissen liegende Notwendigkeit handelt.

Kant sagt einmal, Hume habe ihn aus seinem dogmatischen Schlummer erweckt, d. h. dem ungeprüften Glauben an überkommene Lehrmeinungen ein Ende gemacht. Wir verstehen leicht, daß gerade ein Angriff auf die unbedingte Geltung des Kausalgesetzes geeignet war, als erschreckender Weckruf zu wirken. Als naturwissenschaftlich gebildeter Mann wußte Kant, wie sehr diese Wissenschaften auf der Kausalität beruhen, als Anhänger der Wolffschen Philosophie war er gewohnt, das Dasein Gottes mit Hilfe des Satzes zu beweisen: »Diese kunstvoll und zweckmäßig eingerichtete Welt muß eine Ursache, und zwar eine nach Zwecken wirkende Ursache haben.« Wissenschaft und Religion schienen zugleich bedroht; Grund genug, Humes Lehre eingehend zu prüfen.

Kritik an Hume

Gerade dem Naturwissenschaftler mußten Einwände gegen Hume naheliegen. Unsere Erwartungen auf regelmäßiges Verhalten der Dinge werden oft getäuscht, aber in solchen Fällen zweifelt kein Forscher an der Geltung des Kausalgesetzes, sondern er sucht die bisher noch unbekannte Ursache jener Abweichung zu finden. Ein Stück Eisen, das man an einen Magneten hält, fällt nicht, wie man nach dem Gesetz der Schwere erwarten sollte, zur Erde, sondern wird schwebend erhalten. Niemand glaubt, hier höre die Anziehung der Erde zu wirken auf, vielmehr sieht man darin die Wirkung einer andern, ihr entgegen gerichteten Kraft, des Magnetismus. Nur die Voraussetzung, daß auch scheinbare Durchbrechungen des regelmäßigen Geschehens auf kausalen Gesetzen beruhen, hat aus gelegentlichen Beobachtungen auffallender Erscheinungen das stolze Gebäude der Lehre von der Elektrizität und dem Magnetismus entstehen lassen. Man kann also den Satz, jede Veränderung muß eine Ursache haben, nicht als Ergebnis unserer Erfahrungen ansehen, weil er vielmehr Voraussetzung für alles Erfahrungswissen ist.

Noch mehr: Hume selbst setzt in seiner Ableitung des Kausalgesetzes dieses Gesetz voraus, ohne es zu bemerken. Unsere Erwartung, daß auf eine Vorstellung, auf die früher eine andere gefolgt war, auch beim Wiederauftreten jene zweite folgen werde, beruht auf dem Assoziationsgesetz. Dieses Gesetz aber spricht eine Regelmäßigkeit im Verhalten unserer Vorstellungen aus, ist also selbst ein auf Vorstellungen angewandter Sonderfall des Kausalgesetzes. Hume übersieht trotz seines Scharfsinnes, daß er das Abzuleitende voraussetzt, weil er die Frage, auf die es ankommt, verkennt. Der englische Denker sucht sich Rechenschaft darüber zu geben, wie in uns die Vorstellung der Kausalität zustande kommt, und glaubt auf diesem Wege eine Entscheidung darüber zu gewinnen, ob diese Vorstellung notwendig gilt oder nicht. Aber aus der Entstehung läßt sich auf die Geltung und den Wert einer Erscheinung nie ein bindender Schluß ziehen. Selbst wenn z. B. die Religion aus dem Glauben an Gespenster und der Furcht vor ihnen entstanden sein sollte, wäre damit noch keineswegs bewiesen, daß sie mit Aufhören des Gespensterglaubens ihr Recht verliert. So ist die Rechtsfrage niemals durch eine Geschichte der Entstehung zu beantworten, es sei denn, es handele sich um ein historisches Recht.

Humes Angriff auf die unbedingte Geltung des Kausalgesetzes war damit zurückgewiesen. Keineswegs aber leugnete Kant die Bedeutung der Erfahrung für die Erkenntnis und der Sinnesempfindung für die Erfahrung. Gewiß: ohne Sinnesempfindungen kein Wissen – aber ein bloßer Haufe von Empfindungen gibt für sich allein gar keine Kenntnis. Erfahrungen sammeln, heißt aus den einzelnen Empfindungen einen geordneten Zusammenhang aufbauen, in dem jede neue Wahrnehmung ihren bestimmten Platz findet. Das Kausalgesetz ist eine der notwendigen Voraussetzungen, ohne deren Anerkennung wir bloß ein loses Nacheinander unverbundener Eindrücke, keine Welt miteinander zusammenhängender Geschehnisse hätten. Ein solcher Spreusand von Erlebnissen, der unter dem Erleben ins Nichts zerstiebe, würde der Möglichkeit der Erfahrung widerstreiten. Das Kausalgesetz gehört also zu den logischen Voraussetzungen der Erfahrung oder unserer Erkenntnis einer Wirklichkeit. Was wir erkennen sollen, muß unter den Bedingungen unserer Erkenntnis stehen; was diesen Bedingungen widerspricht, kann gar nicht Gegenstand der Erkenntnis werden. Descartes hatte gezeigt, daß das Denken das Allergewisseste ist, Kant machte diesen Satz fruchtbar, indem er bewies, daß jede andere Gewißheit von der Gewißheit der Grundsätze des Erkennens abhängig ist. Damit wälzte er die ganze Art und Richtung der Betrachtung um. Vorher war man von den *Dingen* ausgegangen. Auch Descartes hatte vom Denken gleich den Übergang zur Gottheit gesucht und aus ihr dann alles übrige abgeleitet. Spinoza fragte nach der einen ersten Ursache, aus der alles andere mit mathematischer Gewißheit folgt. Kant sucht in unserem *Geiste* die innere Notwendigkeit, die uns dazu treibt, zu jeder Veränderung die Ursache aufzusuchen. Er selbst verglich diese Umstülpung der Betrachtungsweise mit der Leistung des Kopernikus, der an Stelle der Erde die Sonne in den Mittelpunkt gerückt hatte. So hat Kant, um bei unserem Beispiel zu bleiben, an Stelle irgendeiner ersten Ursache in der Welt (einer göttlichen Ordnung oder einer rein im Stoffe gelegenen ewigen Gesetzlichkeit) den notwendig nach Ursachen fortschreitenden Geist in die Mitte der Ursachenforschung gestellt. Man hat dieser Lehre zuweilen vorgeworfen, sie mache alle Gewißheit vom Menschen und damit von der Willkür abhängig. Ein stärkeres Mißverständnis ist kaum denkbar. Schon als wir das Verhältnis von Sokrates zu Protagoras betrachteten, sahen wir, daß die Vernunft und ihre Gesetze zwar im Geiste jedes einzelnen Menschen sich finden, aber doch von den Eigenschaften und Merkmalen, die ihn zu einem besonderen Menschen, zu Peter oder Paul machen, ganz unabhängig sind. Wenn wir auch nur den einfachsten, alltäglichen Vorgang erkennen wollen, so müssen wir versuchen, von unseren besonderen persönlichen Beziehungen dazu abzusehen. Wir dürfen z. B. nicht unserer Neigung folgen, einen uns unsympathischen Mann für den Urheber einer Übeltat zu halten. Jeder Richter soll objektiv sein, wie man sagt, d. h. von den besonderen subjektiven Neigungen und Abneigungen, die er wie jeder andere mitbringt, absehen. Aber von den allgemeinen Sätzen der Vernunft, die in uns allen die gleichen sind, kann und soll er nicht absehen, im Gegenteil, er soll ihnen durchaus folgen. Ganz ebenso ist es in der Naturforschung. Eine Mondfinsternis ist ein auffallendes Ereignis; wenn sich kurz nach einer solchen etwas anderes Auffallendes, z. B. eine Schlacht ereignet, so ist der Mensch ursprünglich geneigt, diese beiden auffallenden Ereignisse in Verbindung miteinander zu bringen. In der Tat glauben die meisten Völker an solche Zusammenhänge. Hat man aber eingesehen, daß die Mondfinsternis Folge einer bestimmten, mit berechenbarer Regelmäßigkeit wiederkehrenden Stellung von Sonne, Mond und Erde zueinander ist, während jene Schlacht sich aus Gegensätzen zwischen Fürsten oder Völkern erklärt, die mit Mond und Sonne gar nichts zu tun haben, so wird man einen solchen Zusammenhang leugnen. Kant hat also nicht im geringsten nach Art der Sophisten alle Wahrheit von der Laune und Stimmung des einzelnen Menschen abhängig gemacht, sondern er hat gezeigt, daß die in allen Menschen angelegte, aber nicht in allen gleichmäßig entwickelte Vernunft die notwendige Voraussetzung aller Erkenntnis ist.

Kausaltheorie

Wir müssen uns aber, um Kant völlig zu verstehen, daran erinnern, daß er den englischen Empiristen doch ein ganz bestimmtes Recht zuerkannte. Jeder Naturforscher ist überzeugt, daß eine von ihm beobachtete Veränderung eine Ursache hat; und wenn er diese Ursache nicht findet, so wird er nicht etwa an dem Gesetze der Kausalität irre, sondern hält seine Kenntnis der Tatsachen für unvollständig. An diesem Verhalten soll uns deutlich werden, daß aus dem allgemeinen Gesetze der Kausalität allein die besondere Ursache in irgendeinem einzelnen Falle nicht erschlossen werden kann. So bequem haben wir es nicht, vielmehr erfordert es sorgsame Beobachtung, mühsame Experimente, vielfache Überlegung und Berechnung aller einzelnen in Betracht kommenden Umstände, um auch nur einen einzigen Zusammenhang besonderer Ursachen mit ihren Wirkungen zu erkennen. Fruchtbar also wird der Grundsatz der Verbindung von Ursache und Wirkung nur durch Erfahrungen. Alle Erfahrungen aber vermitteln uns unsere Sinnesorgane, deren Leistungsfähigkeit die moderne Wissenschaft darum durch Fernrohr, Mikroskop und viele andere Mittel zu erhöhen sucht. Indessen, zu einer Erfahrung im wahren Sinne des Wortes werden diese Sinneswahrnehmungen nur durch die Grundsätze des Verstandes, als deren Beispiel uns der Satz der Kausalität gedient hat. Unser ganzes Erkennen besteht also darin, daß wir den stets sich häufenden Stoff der Sinnesempfindungen in immer exakterer und bestimmterer Weise den Grundgesetzen unseres Geistes unterwerfen. Dabei klären sich zugleich jene Verstandesgesetze selbst. Irgendwie nimmt auch der roheste Mensch an, daß jede Veränderung eine Ursache hat. Selbst im Märchen geschieht nichts ganz Willkürliches, mögen die Ursachen im einzelnen noch so phantastisch gedacht werden. Auch in jeder praktischen Arbeit setzt der Mensch die Geltung des Kausalgesetzes voraus. Wer mit dem Hammer einen Nagel in ein Brett schlägt, erwartet, daß die Wucht des Werkzeuges die Spitze des Nagels in die Fasern des Holzes hineintreiben wird. Wenn trotzdem der Nagel sich krümmt, so sucht er die Ursache dafür entweder in einer Verhärtung im Holze oder in einer Schwäche des Nagels. Daß aber die Einheit der ganzen Welt durch die Einheitlichkeit des Kausalgesetzes zustande kommt, sieht erst die Wissenschaft ein. Auch ihr wird diese Einheitlichkeit nicht wie ein Geschenk gegeben, sondern sie bemüht sich darum, immer mehr die Fülle der Erscheinungen durch einheitliche Naturgesetze zu verbinden. Was wir aber Naturgesetz nennen, ist nichts anderes als ein allgemeiner Satz, der Ursache und Wirkung verbindet. Die Naturgesetze sind also jene im Vergleich zum Kausalgesetz besonderen, im Vergleich zu den einzelnen Tatsachen allgemeinen Sätze, durch die wir den Stoff der Sinnesempfindungen der obersten Forderung des Kausalgesetzes unterwerfen. Darum setzen wir auch voraus, daß sie ausnahmslos gelten, und wenn wir Ausnahmen finden, so führen wir sie entweder auf Durchkreuzung durch andere Naturgesetze zurück, oder wir überzeugen uns, daß jenes scheinbare Naturgesetz kein solches war. Was bei Spinoza am Anfang stand, die einheitliche Gesetzlichkeit der ganzen Welt, die innerlich notwendige Verknüpfung aller Einzelheiten zu einem Ganzen, das steht für Kant am Ende. Von einer »Welt« dürfen wir aber im Grunde nur reden, wo alle Einzelheiten zu einem Ganzen verknüpft sind. Man erkennt so, daß dem Menschen nicht eine fertige Welt gegeben, sondern daß es seine Aufgabe ist, den gegebenen Stoff sinnlicher Empfindungen immer vollständiger in die Einheit einer Welt hineinzubauen – wir dürfen sagen: Die Welt ist uns nicht gegeben, sondern aufgegeben.

Es wird nötig sein, den ganzen Gedankengang, den wir an einem Beispiele durchgegangen sind, nun allgemeiner zu wiederholen. Dabei werden wir wichtige Bestandteile, die wir der Einfachheit wegen zunächst absichtlich wegließen, nachholen müssen. Auch wird es zweckmäßig sein, nunmehr wenigstens einige vielgebrauchte kantische Ausdrücke zu erklären. Wir können von einer Fragestellung ausgehen, die Kant selbst zum Zwecke einer leichteren Einführung in seine Lehre benutzt hat.[5] Kant wollte wissen, warum die Metaphysik bisher immer Schiffbruch gelitten hatte. Metaphysik beansprucht, sichere und allgemeingültige Erkenntnisse zu besitzen. Nun gibt es Wissenschaften, die zwar nicht das Ganze der Welt und sein Verhältnis zur Gottheit zum Gegenstande haben, dafür aber auf ihrem engeren Gebiete jene Zuverlässigkeit und Allgemeingültigkeit besitzen, die die Metaphysik vergeblich erstrebt. Es sind dies die Mathematik und die mathematische Naturwissenschaft. Wenn wir wissen, wie auf diesen Gebieten Erkenntnis zustande kommt, dann werden wir auch einsehen lernen, warum es sich auf metaphysischem Gebiet anders verhält. Es entstehen also zunächst drei Fragen, den drei Wissenschaften entsprechend. Diese Fragen haben aber nicht alle dieselbe Form. In Mathematik und Naturwissenschaft gibt es allgemein anerkannte wissenschaftliche Sätze. Wer Euklids Geometrie oder Newtons Physik verstanden hat, kann nicht mehr fragen, *ob* hier Wissenschaft möglich ist; denn er hat die Wirklichkeit dieser Wissenschaften erkannt, und was wirklich ist, dessen Möglichkeit ist erwiesen. Hier kann es also nur darauf ankommen, nachzuweisen, *wie* diese Möglichkeit zustande kommt. Anders steht es mit der Metaphysik. In ihren Streitigkeiten hat es wenigstens bisher keine Entscheidung gegeben, und viele haben infolgedessen an jeder Möglichkeit metaphysischer Erkenntnis gezweifelt. Wir müssen also fragen, *ob* Metaphysik als Wissenschaft möglich ist. Sollte diese Frage verneint werden, so wäre damit freilich noch nicht alles erledigt. Denn augenscheinlich liegt doch tief in unserem Wesen begründet ein Bedürfnis nach Metaphysik; wäre das nicht der Fall, so hätte die Menschheit längst von den Bemühungen um eine solche Erkenntnis abgelassen. Kant selbst hat dieses Bedürfnis im höchsten Grade gefühlt, er sagt einmal, er sei in die Metaphysik verliebt. Die Tatsache dieses Bedürfnisses verlangt auch dann und gerade dann eine Erklärung, wenn man eine wissenschaftliche Metaphysik nicht für möglich hält. Wir verstehen jetzt die vier Fragen, auf die Kant in der schon erwähnten späteren, leichter verständlichen Darstellung den

Inhalt der Kritik der reinen Vernunft zurückgeführt hat:

I. Wie ist reine Mathematik möglich?

II. Wie ist reine Naturwissenschaft möglich?

III. Ist Metaphysik als Wissenschaft möglich?

IV. Wie ist das Bedürfnis nach Metaphysik als Tatsache möglich?

Fragestellung

Zu erklären bleibt dabei nur noch das Wörtchen »rein« in der ersten und zweiten Frage. Es bedeutet: unabhängig von jeder einzelnen sinnlichen Erfahrung. Wir haben am Kausalgesetze gesehen, daß die allgemeine Voraussetzung einer Verbindung von Ursache und Wirkung allen Erfahrungen zugrunde liegt. Die Erfahrung, wenn wir unter diesem Worte die Vereinheitlichung unserer verstreuten Empfindungen verstehen, ist nur unter Voraussetzung des Kausalgesetzes möglich; dieses Gesetz ist also von jeder besonderen Erfahrung unabhängig, es ist »rein« in dem eben erklärten Wortsinne. Dagegen kommt jedes einzelne Naturgesetz, z. B. daß der Magnet Eisen anzieht, erst durch Anwendung des allgemeinen Kausalgesetzes auf einzelne Erfahrungen zustande. Diese Gesetze sind also nicht mehr »rein«. Nur um jene reinen Voraussetzungen aller Naturwissenschaft handelt es sich hier.

Wir gehen nunmehr die einzelnen Fragen durch und erklären Kants Antworten.

I. Wie ist reine Mathematik möglich?

Die mathematischen Sätze leiten wir nicht aus einzelnen Erfahrungen her; wenn wir z. B. beweisen wollen, daß die Winkelsumme des Dreiecks zwei Rechte beträgt, so messen wir nicht die Winkel möglichst vieler Dreiecke nach, sondern wir führen einen ganz allgemeinen Beweis, der auf andere einfachere Sätze und schließlich auf unbeweisbare Grundsätze zurückgeht. Das Dreieck, welches wir uns dabei vielleicht aufzeichnen, dient nur zur Erleichterung des Verständnisses. Seine besondere Beschaffenheit, ob es rechtwinklig, spitzwinklig oder stumpfwinklig, ob es gleichseitig oder ungleichseitig ist, bleibt ganz außer Betracht. Ja wir wissen genau, daß das gezeichnete Dreieck den Anforderungen der Geometrie nicht völlig entspricht. Für unseren Beweis sind seine Seiten ohne Breite, während jede gezeichnete Linie eine gewisse Breite besitzt. In den mathematischen Wissenschaften haben wir also eine Fülle von Sätzen, die rein, unabhängig von jeder Erfahrung gelten. Diese Wahrheiten aber sind uns höchst wichtig; denn wir sind überzeugt, daß alle unsere Erfahrungen über körperliche Dinge diesen Sätzen entsprechen werden. Jeder Physiker oder Astronom setzt bei seinen Messungen die Lehrsätze der Geometrie voraus. Wir haben früher gesehen, wie Descartes und seine Nachfolger in der Geometrie das Vorbild rein verstandesmäßiger Erkenntnis erblickten. Sie glaubten, daß die geometrischen Sätze sich durch bloßes Denken gewinnen ließen und hofften daher, in ähnlicher Weise ein System wahrer Sätze über Gott und das Weltganze aufstellen zu können. Kant war mit ihnen einig darin, daß die geometrischen Sätze nicht aus der Erfahrung abgeleitet sind. Aber ebensowenig lassen sie sich aus dem bloßen logischen Denken heraus gewinnen; wenn wir auch den Begriff der geraden Linie, des Punktes, der Ebene und der Parallelen aufgestellt haben, können wir daraus noch nicht den Grundsatz ableiten, daß in einer Ebene zu jeder geraden Linie durch jeden Punkt außerhalb dieser Geraden eine und nur eine Parallele gezogen werden kann. Die Überzeugung von der Wahrheit dieses Satzes beruht auf den Grundeigenschaften unserer räumlichen Anschauung. Ähnliches gilt von allen Grundsätzen der Geometrie. Hier steht also zwischen dem Denken und den einzelnen sinnlichen Wahrnehmungen noch etwas Drittes: der Raum. Jede unserer Wahrnehmungen von Körpern ist räumlich, darum gelten von ihr die Grundeigenschaften des Raumes. Hätte sie diese Form nicht, so könnten wir sie gar nicht in unsere einheitliche Vorstellung einer Körperwelt einordnen. Diese allgemeine Form des Raumes ist nicht aus einzelnen Erfahrungen abzuleiten; denn die Erfahrung als Verknüpfung der einzelnen Empfindungen in eine einheitliche Welt ist nur mit Hilfe des Raumes möglich. Aber die Eigentümlichkeiten des Raumes, die in den geometrischen Grundsätzen ausgesprochen werden, sind ebensowenig denknotwendig in dem Sinne, daß es ein Widerspruch wäre, sie zu bestreiten. In Gedanken können wir uns z. B. ganz gut mit Räumen von vier und mehr Dimensionen beschäftigen. Wenn also der Raum weder Erfahrung noch denkerzeugter Begriff ist, so bleibt nur eins noch übrig: er ist eine reine, d. h. von aller Erfahrung unabhängige Form unserer äußeren Anschauung oder, was dasselbe sagt, unserer Anschauung der Körperwelt. Die Sätze der Geometrie sind allgemein gültig, weil alle unsere körperliche Erfahrung nur in den Formen dieser Anschauung möglich ist. Was vom Raum gilt, gilt ganz ähnlich auch von der Zeit, nur daß sie unserer Erfahrung noch viel allgemeiner zugrunde liegt. Die Verknüpfung der seelischen Vorgänge, der Gedanken und Gefühle, alles dessen, was wir unsere innere Erfahrung nennen können, findet nicht im Raume, wohl aber in der Zeit statt. Nach Kant steht die Arithmetik in einem ähnlichen Verhältnisse zur Zeit wie die Geometrie zum Raum. Man kann das verstehen, wenn man das Zählen als Vorbedingung der Zahl ansieht. Doch führt das auf schwierige und sehr umstrittene Probleme, die hier darzulegen unmöglich ist. Wir haben so zwei reine Anschauungsformen, durch die alle einzelnen Erlebnisse geordnet sind. Die Gesetzlichkeit dieser Formen sprechen wir in den Grundsätzen der

Mathematik aus. Die Geltung der Mathematik für alle Erfahrungen beruht auf diesen reinen Anschauungsformen. Was nicht in Raum und Zeit angeordnet ist, bleibt für uns schlechthin unerkennbar.

II. Wie ist reine Naturwissenschaft möglich?

Auch die Naturwissenschaft macht, wie wir schon bei unserer Betrachtung des Kausalgesetzes sahen, Voraussetzungen, die nicht aus der Erfahrung ableitbar sind. Alle einzelnen Naturgesetze zwar enthalten Erfahrungsbestandteile, sind also in Kants Sinne keine reinen Erkenntnisse, aber es ist möglich, jene vor aller Erfahrung gültigen Voraussetzungen aller Naturwissenschaft für sich zu betrachten. Diese Voraussetzungen und was ohne Anleihe an die besondere Erfahrung aus ihnen folgt, nennt Kant *reine Naturwissenschaft*.

Durch Raum und Zeit erhält jedes Erlebnis eine bestimmte Stelle, die für alle Menschen dieselbe ist. Aber die so geordneten Anschauungen bilden doch ein bloßes Nebeneinander, wenn nicht noch andere Prinzipien von ihnen gelten. Sie sollen ja nicht nur geordnet angeschaut, sondern als gesetzmäßiger Zusammenhang gedacht werden. Dazu ist, wie wir bereits sahen, die Geltung des Kausalgesetzes notwendig. Damit aber die gesetzmäßigen Veränderungen der Natur von unserem Verstande beherrschbar seien, müssen sie, wie wir schon früher erkannt haben, der Rechnung unterworfen werden können. Alle Unterschiede in der Körperwelt müssen auf quantitative Unterschiede, d. h. auf Verschiedenheiten der Größe und Zahl zurückgeführt werden.

Soll ferner im Flusse der Ereignisse Einheit herrschen, so muß etwas von allem Wechsel unberührt erhalten bleiben, und da es sich überall in der Naturwissenschaft um meßbare Größen handelt, muß auch dieses Etwas eine Größe sein. Als solche Erhaltungsgrößen hat die moderne Physik Materie und Energie erkannt.

Es ist an dieser Stelle nicht möglich, alle Voraussetzungen der Naturwissenschaft aufzuführen; welcher Art sie sind, zeigen die behandelten Beispiele genugsam. Sehen wir sie uns noch einmal an, so erkennen wir sofort, daß sie der Zeit zu ihrer Anwendung bedürfen. Die Erhaltungsgesetze sagen aus, daß eine Größe in aller Zeit bestehen bleibt, das Kausalgesetz macht aus der bloßen Zeitfolge der Geschehnisse eine begreifliche Ordnung.

Die Sätze der reinen Naturwissenschaft enthalten also außer den *Verstandesformen*, die Kant *Kategorien* nennt, noch die *Anschauungsformen*.

Fruchtbar wird diese reine Naturwissenschaft aber erst, indem sie sich den Stoff der Empfindungen unterwirft. Diesen Stoff empfängt sie, vermag ihn aber nicht aus ihren Grundsätzen abzuleiten, zu erzeugen.

III. Ist Metaphysik als Wissenschaft möglich?

Mit den letzten Sätzen ist diese Frage eigentlich schon verneint. Man hatte geglaubt, aus dem reinen Denken heraus ohne Anleihe an die Erfahrung Erkenntnisse über die Gottheit und ihr Verhältnis zur Welt ableiten zu können. Wir wissen jetzt, daß zunächst jede inhaltlich fruchtbare Anwendung der allgemeinen Verstandesformen nur mit Hilfe der Formen der Anschauung, Raum und Zeit, möglich ist. Der Satz, daß jede Veränderung ihre Ursache haben muß, hat nur innerhalb des Reiches zeitlicher Geschehnisse Sinn. Wenn die frühere Metaphysik sagte: die Welt ist da, also muß sie eine Ursache haben, so suchte sie den Begriff der Ursache, statt ihn innerhalb der Welt anzuwenden, vielmehr auf das Ganze der Welt und sein Verhältnis zu etwas außerhalb der Welt auszudehnen. Damit überschritt sie das Reich möglicher Erfahrung, in welchem allein die Formen unseres Denkens Halt und Erfüllung gewinnen. Die Taube, die in der Luft fliegt und deren Widerstand fühlt, könnte meinen, sie werde im luftleeren Raum, wo dieser Widerstand sie nicht hindert, noch viel besser fliegen können. Sie weiß nicht, daß doch nur der Widerstand der Luft ihren Flügelbewegungen Halt und Kraft gibt. So meint der Metaphysiker ohne den widerstrebenden Stoff der Anschauungen besser denken zu können, und vergißt, daß nur jener Stoff die Formen des Denkens mit Inhalt erfüllt und anwendbar macht. Aus den Erfahrungen metaphysische Schlüsse zu ziehen, ist erst recht unmöglich; denn aus Erfahrungen können wir immer nur auf Dinge und Vorgänge schließen, die den Erfahrungen ähnlich sind. Das seinem Begriff gemäß notwendigerweise der Erfahrung unzugängliche *Ganze* der Welt und die Gottheit bleiben also unerkennbar. *Metaphysik als Wissenschaft ist nicht möglich.*

IV. Wie ist das Bedürfnis nach Metaphysik als Tatsache möglich?

All unser Erkennen ist eine fortschreitende Arbeit, immer neuen Stoff der Wahrnehmungen fügen wir der wissenschaftlichen Erkenntnis ein, immer einheitlicher suchen wir die Grundgesetze der Natur zu fassen, immer vollständiger die Erlebnisse ihnen zu unterwerfen. Als Ziel dieses Strebens schwebt dem Forscher eine einheitliche Welterkenntnis vor. Gewiß, die Welt als Ganzes ist nicht gegeben, aber sie ist doch aufgegeben. Wohl weiß der besonnene Denker, daß der endliche menschliche Verstand jene unendliche Aufgabe nie wirklich lösen wird, aber trotzdem gibt diese Aufgabe seiner unablässigen Arbeit Ziel und Richtung. Ganz natürlich hat der Mensch die

Sehnsucht, dieses Ideal seines Erkenntnisstrebens sich bestimmter auszumalen. Sobald er es versucht, erfährt er, daß seine irdischen Farben versagen. Aber die Sehnsucht bleibt, und wir werden noch einsehen, wie wichtig die Tatsache dieser Sehnsucht für unsere ganze Auffassung von Welt und Leben sein muß. Vorläufig können wir unsere vierte Frage beantworten: Die Tatsache des Bedürfnisses nach Metaphysik erklärt sich aus der Natur unseres Erkennens als eines nach einem unerreichbaren Ziele gerichteten Strebens.

Kants Kritik des Erkennens hat also ein doppeltes Gesicht. Das eine positive ist der Erfahrungserkenntnis zugewendet: sie wird sicher begründet durch die reinen Formen der Anschauung, Raum und Zeit, und durch die Verstandesbegriffe, die Kategorien. Innerhalb der Erfahrung gibt es Grundsätze, die sicherer sind als jede einzelne Erfahrung und die das Ganze der Erfahrung erst möglich machen, nämlich die Grundregeln unseres Anschauens und Denkens. Aber alle diese Regeln sind nur anwendbar, soweit sie mit Erfahrungsstoff erfüllt werden können. Jeder Behauptung, die jenseits des Erfahrbaren eine übersinnliche Welt aus bloßen Verstandesbegriffen aufbauen will, wendet die Erkenntniskritik ihr verneinendes, abweisendes Gesicht zu. Ein Begriff des allervollkommensten Wesens z. B. kann von uns gar nicht erfaßt werden. Descartes hatte diesen Gedanken zugleich mit dem Gefühl unserer Unvollkommenheit aus dem ursprünglichen Zweifel abgeleitet, Spinoza hatte sich bemüht, alle einzelnen Dinge und Ereignisse in diesem allervollkommensten Wesen so zusammenzudenken, daß sie aus ihm mit mathematischer Notwendigkeit folgen. Vergleicht man Kant mit diesen beiden Philosophen, so kann man sagen: Er gibt Descartes zu, daß unser Erkennen nur unvollkommen einem Ziel sich nähert, welches ihm als unerreichbares Ideal vorschwebt. Aber von diesem Ziele vermögen wir nur zu wissen, daß es unserem Denken als Ziel vorschwebt und Richtung gibt; keineswegs dürfen wir behaupten, daß wir den Begriff einer Gottheit in uns tragen, in der dieses Ziel erreicht ist. Auch der Schluß von dem Begriffe eines allervollkommensten Wesens auf seine Wirklichkeit ist falsch. Dieser angeblich sichere Beweis für das Dasein Gottes war längst vor Descartes von mittelalterlichen Denkern aufgestellt worden und lautet wesentlich so: Zum Begriffe des allervollkommensten Wesens gehört jede einzelne Vollkommenheit. Nun ist aber Sein, Wirklichkeit eine Vollkommenheit, also muß das allervollkommenste Wesen wirklich sein, sonst könnte man ein Wesen denken, das zu allen übrigen Vollkommenheiten noch die des Wirklich-Seins hätte, also vollkommener wäre, als das allervollkommenste Wesen. Das aber widerspricht dem Begriffe eines solchen Wesens und ist daher unmöglich. Kant sagt gegen diesen Beweis, daß aus einem bloßen Begriff niemals die wirkliche Existenz dessen, was in diesem Begriffe gedacht wird, erschlossen werden kann. Wirklichkeit dürfen wir nur da behaupten, wo unsere Erfahrung uns dazu das Recht gibt. Auch darf man nicht sagen, daß der Begriff eines wirklich existierenden allervollkommensten Wesens den Begriff eines nur möglicherweise existierenden allervollkommensten Wesens an Vollkommenheit überträfe. Das wäre so, als wenn jemand behaupten wollte, hundert Taler, die einer zu erwerben hofft, seien ihrem Begriffe nach weniger, als hundert Taler, die er in der Tasche hat.

Gerade diese zerstörende Seite der Kantischen Philosophie hat auf die Zeitgenossen den größten Eindruck gemacht. Einer der bekanntesten deutschen Denker jener Zeit, Moses Mendelssohn, hat Kant deshalb den Alleszermalmer genannt. Für uns, die wir viel schärfere Verneiner erlebt haben, ist Kant vor allem Begründer sicherer Erkenntnis und Führer zu einer Lebensanschauung, die unter Verzicht auf täuschende Phantasien doch die Ziele und Werte unseres Daseins uns sichert. Wir können das Weltganze niemals wirklich begreifen, aber all unser Erkennen entnimmt doch seinen Sinn der Aufgabe, die einzelnen Erfahrungen zum Ganzen zu gestalten. Im Erkenntnisstreben, in der Aufgabe liegt das einzige für uns faßliche Verhältnis zum Unendlichen und Unbegreiflichen; im Erkennen selbst ist das Höchste eine Aufgabe, eine Pflicht.

So hängt Kants Philosophie des Erkennens mit seiner Moralphilosophie zusammen. Wir wissen nichts von einer übersinnlichen Welt, die unsre Erfahrung überschreitet, d. h. wir dürfen nicht etwa eine solche Welt leugnen, sondern wir dürfen gar nichts über sie aussagen. Aber eins ist uns sicher bekannt, daß wir Pflichten und Aufgaben haben. Sollte diese Erkenntnis uns nicht weiterführen? Am Anfang dieser Vorträge habe ich die Frage: Was soll ich in dieser Welt? als die Grundfrage der Philosophie bezeichnet. Diese Frage führte zu der andern: Was ist diese Welt? Zuweilen mochte bei Ihnen während der vorangehenden Vorträge die Meinung entstehen, daß diese beiden Fragen doch nur äußerlich nebeneinander ständen; – jetzt werden Sie ihren inneren Zusammenhang erkannt haben. Keineswegs vermögen wir, wie z. B. Spinoza wollte, aus einer Gesamterkenntnis der Welt heraus die Bestimmung unseres Daseins abzuleiten; vielmehr wissen wir von dem Ganzen der Welt, von alledem, was wir ihre Einheit, ihr Wesen nennen, nur so viel gewiß, daß es uns als Aufgabe unseres Erkenntnisstrebens vor Augen schwebt, und zwar als eine Aufgabe, deren volle Lösung nie gelingen kann. Ein solches notwendig gefordertes und doch unerreichbares Ziel nennt Kant *Idee*. Einheit, Wesen der Welt, das sind Ideen, denen sich unsere Erkenntnis in steter pflichtbewußter Arbeit annähern soll. Das letzte Wort in Kants theoretischer Philosophie, das Wort »sollen«, ist zugleich das Haupt- und Schlagwort seiner Ethik; sie darzustellen ist die Aufgabe unseres letzten Vortrages. Im Anschluß an sie wollen wir den Mann betrachten, der diese Ethik ins Leben hinüberführte: *Fichte*.

Kant
Aus: Allgemeines Historisches Porträtwerk
(gemalt v. Döbler)

Sechster Vortrag.
Fichte. (Kants praktische Philosophie.)

Bei der Schwierigkeit der Sache fassen wir die Ergebnisse des vorigen Vortrags zweckmäßig in einige Sätze zusammen. Kant hat nachgewiesen:

1. Unser Erkennen ist ein Bearbeiten einer uns zufließenden Menge von Empfindungen durch die notwendigen Gesetze unserer Vernunft. Diese Vernunftgesetze sind anwendbar, weil wir unsere Empfindungen in der anschaulichen Ordnung von Raum und Zeit wahrnehmen.

2. Die reinen Anschauungsformen Raum und Zeit ebenso wie die Verstandesgrundsätze (Kategorien; z. B. Satz der Kausalität) sind nicht der Erfahrung entnommen, vielmehr wird eine Erfahrung im Sinne einer geordneten Verarbeitung der Empfindungen erst durch sie möglich.

3. Die Verstandesgrundsätze sind nur anwendbar, soweit für uns die Möglichkeit der Erfahrung reicht. Erfahrbar sind uns nur einzelne Dinge und Ereignisse. Wir haben die Aufgabe, sie immer vollständiger zu einem einheitlichen Ganzen zusammenzudenken. Dieses Ganze selbst aber, die Welt, vermögen wir als Ganzes nie zu erfassen. Die Welt ist uns nicht *gegeben*, sondern *aufgegeben*.

4. Die Philosophie darf nicht von einer Behauptung über die Dinge ausgehen, sondern sie muß sich an den Gesetzen des Erkennens orientieren. Nennt man eine Lehre, die von den Dingen (**res**) ausgeht, Realismus, eine solche, die von den Gedanken (**idea**) ausgeht, Idealismus, so muß alle wahre Philosophie Idealismus sein. Das bedeutet aber nicht, daß die Wahrheit abhängig ist von den zufälligen Vorstellungen eines einzelnen Menschen. Vielmehr haben wir uns zu stützen auf die Voraussetzungen des Erkennens, die *jeder* einzelne in gleicher Weise anerkennen *muß*, sofern er sich nur überhaupt die Aufgabe der Erkenntnis stellt.

5. Die Grundsätze der Erkenntnis treten dem einzelnen Menschen als Forderungen gegenüber. Wir *sollen* z. B. zu jeder Veränderung ihre Ursache suchen. Eine Forderung durchsetzen heißt handeln. So zeigt sich das Erkennen (die theoretische Vernunft) selbst als eine Art Handeln (griechisch **prattein**, davon praktisch). Die Gewißheit des Erkennens gründet sich auf die Überzeugung von Anforderungen, die an unser geistiges Handeln gestellt werden. So mündet die theoretische Philosophie in die praktische ein. Kant spricht daher von einem Vorrechte (Erstlingsrechte, Primate) der praktischen Vernunft.

Wir wollen Wahrheit und einheitliche Welterkenntnis. Wir sollen sie wollen und wir fühlen, daß dieses Sollen und der Gehorsam ihm gegenüber mehr Wert hat als unser vergängliches Leben. Aber die Erkenntnis ist doch gewiß nicht das einzige, was wir erstreben sollen. Wir müssen alle bisherigen Betrachtungen durch eine noch tiefer sich versenkende, noch weiter ausblickende ergänzen. Unser Streben nach Erkenntnis hat die Reinheit der Absicht mit jedem sittlichen Streben gemein. Sittlich ist überall ein Wille, der keine Nebenabsichten für sich selbst verfolgt, sondern das Rechte um des Rechten willen tut. Kant stellt an die Spitze seiner Moralphilosophie den berühmten Satz:

»Es ist überall nichts in der Welt, ja überhaupt auch außer derselben zu denken möglich, was ohne Einschränkung für gut könnte gehalten werden, als allein ein **guter Wille.***«*

Kant geht hier nicht von der Handlung, noch weniger vom Erfolg, sondern vom Willen selbst aus. Der Erfolg unserer Taten liegt oft gar nicht in unserer Macht. Der Handlung, wie sie äußerlich erscheint, kann man nicht ansehen, welchem Beweggrunde sie entstammt. Die letzte Entscheidung darüber, ob wir recht oder unrecht gehandelt haben, gibt uns stets nur das eigene Bewußtsein von der Natur unseres Willens, das Gewissen. Ein guter Wille will, was er für recht erkannte. Diese Bestimmung ist formal, sie gibt für sich allein keinen Aufschluß darüber, wie im einzelnen Falle gehandelt werden soll. Ja, wir müssen zuweilen den guten Willen, die moralische Absicht des Handelnden zugeben in Fällen, in denen die Handlung selbst uns Abscheu einflößt. Unter den russischen Revolutionären, deren Mordtaten wir mit Entsetzen lesen, gibt es wohl wenigstens einzelne, die nicht aus niederen Motiven (Rachsucht, Blutgier, Ruhmsucht), sondern aus der Überzeugung handeln, daß der Mord ihre Pflicht ist. Dafür spricht, daß sie ihr eigenes Leben opfern und daß sie, wo ihr Fanatismus sie nicht irreführt, mitleidig und hilfsbereit sind. Wir werden sogar in solchen Fällen den guten Willen anerkennen müssen und nur zu bedauern haben, daß dem sittlichen Streben eine irregeleitete Vernunft beiwohnt.

Eine Handlungsweise, die wir als uns geboten erkannt haben, heißt Pflicht. Ein guter Wille ist also ein pflichtbewußter Wille, er tut die Pflicht um ihrer selbst willen. Ich sagte eben, eine Handlungsweise, die wir als *geboten* anerkennen, ist Pflicht. Woher stammt dieses Gebot? Sicher nicht von einer äußeren, irdischen Gewalt. Äußere Übermacht kann uns körperlich zwingen, ihr den Willen zu tun, sie kann uns auch schrecken und auf unsere Schwäche wirken, aber sie kann nicht machen, daß wir etwas gegen unsere freie, innere Überzeugung für recht halten. Selbst ein göttliches Gebot kann das nicht bewirken. Wir erkennen unsere Pflicht nicht durch irgendeine göttliche Offenbarung, die in der Bibel oder sonst in einem Buch oder Ausspruch niedergelegt ist, sondern umgekehrt: wir sehen in der Bibel nur göttliche Offenbarung, weil und soweit unsere sittliche Einsicht ihren Geboten beistimmt. Die Moral lehnt also jede fremde Gesetzgebung ab. Sie ist *nicht heteronom* (heteros – griechisch – fremd, nomos Gesetz), in ihr gibt sich unser innerstes Wesen selbst das Gesetz, sie ist *autonom* (autos selbst). Man hat von Kants Moral gesagt, sie sei eng, habe etwas von Kleinbürgerlichkeit und Polizeistaat an sich. Ich glaube, Sie werden aus der Darstellung von Kants Grundsätzen dieses Gefühl nicht gewonnen haben. Ganz im Gegenteil: es ist eine Moral für mündige Menschen, eine strenge und stolze Sittlichkeit. Polizeigeruch ist an ihr sicher nicht zu spüren. Die Polizei und das Gericht des Staates können die inneren Vorgänge, um die es sich für die Moral handelt, gar nicht sehen, sie sollen das auch nicht versuchen. Ihre Aufgabe ist es, die sehr notwendige äußere Ordnung der Gesellschaft aufrecht zu erhalten, sie kümmern sich daher nur um die äußere Gesetzmäßigkeit der Handlungen. Ob jemand nicht stiehlt, weil er Stehlen für unrecht erkannt hat oder weil er das Gefängnis fürchtet, ist diesen äußeren Gewalten gleichgültig, soll und muß ihnen als äußeren Gewalten gleichgültig sein. Ja, die äußere Gewalt müßte die ordnungstörende Handlung selbst dann verfolgen, wenn sie aus einer vom Irrtum mißleiteten sittlichen Gesinnung hervorgehen sollte, wie die Mordtaten einzelner russischer Revolutionäre.

Autonomie und kategorischer Imperativ

Aus der Schätzung des guten Willens als des Höchsten, was es in der Welt gibt, folgt nun aber, daß wir unsere Mitmenschen mit Achtung zu behandeln haben; denn in jedem Menschen liegt wenigstens die Möglichkeit, sich auf die Stufe des guten Willens zu erheben. Wir dürfen selbst dem verkommensten Menschen die Möglichkeit nicht absprechen, sich auf sein besseres Selbst zu besinnen, und sollen deshalb einen Menschen nicht wie ein Ding als bloßes Mittel zum Zwecke behandeln, vielmehr stets auf seinen Eigenwert Rücksicht nehmen. Vor der moralischen Forderung endlich sind wir alle gleich. Wir dürfen also hier kein Vorrecht für uns beanspruchen, sondern müssen so handeln, daß wir die gleiche Handlungsweise von jedem in der gleichen Lage fordern würden. Wenn wir etwa in die Versuchung kommen, ein Versprechen nicht zu halten, sollen wir uns fragen, ob es denkbar wäre, daß alle Menschen in der gleichen Lage ebenso handelten. Wenn jeder sein Wort bräche, sobald Wort halten unbequem ist, so schwände alles Vertrauen auf ein gegebenes Wort und damit Treu und Glauben in der menschlichen Gesellschaft. Aus dieser Erwägung ergibt sich, warum der Wortbruch unmoralisch ist. So versteht man die Formel, in die Kant das Sittengesetz gebracht hat: »*Handle so, daß die Maxime deines Wollens jederzeit Prinzip einer allgemeinen Gesetzgebung sein könnte.*« Kant nennt diese Forderung den *kategorischen Imperativ* – ein Ausdruck, dessen Bedeutung Sie nun leicht verstehen werden. Jeder andere Befehl (Imperativ) gilt nur unter gewissen Voraussetzungen. Der Arzt z. B. befiehlt dem Magenkranken mäßig zu leben, falls er gesund werden will; zieht jener Schlemmerei der Gesundheit vor, so gilt dieser Befehl nicht mehr. Der römische Staat befal den Christen, vor den Kaiserbildern zu opfern; aber dieser Befehl band sie nur, solange sie leben wollten, und die Märtyrer zogen den Tod einer Verletzung ihres religiösen Gefühles vor. Alle solche Befehle gelten nur bedingt, hypothetisch; das Sittengesetz ist der einzige Befehl, der unbedingt, kategorisch, den Anspruch auf Befolgung erhebt.

Ist der gute, d. h. pflichtbewußte Wille das Höchste, Gewisseste und Wichtigste, was es für uns gibt, so muß es auch möglich sein, unsere Handlungen durch freien Willensentschluß dem erkannten Sittengebot gemäß zu bestimmen, d. h. *wir müssen frei sein*. Wir stellen weiter die Forderung, daß der gute Wille *herrsche*. In dem kleinen Stück Welt, das wir übersehen, ist das nun sicher nicht der Fall. Sehr oft unterliegt der edlere Mensch dem rücksichtslosen Schurken, noch öfter kämpft unser bestes Wollen vergeblich gegen die Widerstände des Naturlaufs, gegen Krankheit, Mangel und Mißgeschick. Das Ganze der Welt aber kennen wir nicht, wir wissen nicht, wie sich in diesem Ganzen die Widersprüche ausgleichen. Indessen, aus der moralischen Forderung folgt, daß es irgendwie eine solche Ausgleichung geben muß. So gründet sich auf die Sittlichkeit der Glaube. Glauben bedeutet hier nicht soviel wie »für wahrscheinlich halten«, vielmehr ist das Wort im religiösen Sinne gemeint, etwa wie Luther es nach dem Hebräerbrief erklärt hat: »Glaube ist die Gewißheit dessen, was man nicht siehet.« Glaube ist Gewißheit, und weil diese Gewißheit aus den Forderungen unserer Vernunft folgt, spricht Kant von Vernunftglauben; Glaube ist aber die Gewißheit dessen, was man nicht sieht. Sehen, auch im übertragenen Sinne des Wortes, können wir ja die Einrichtungen des Weltganzen niemals. Wie die Gottheit regiert, wissen wir nicht; *nur* **daß** *eine Gottheit regiert, ist uns moralisch gewiß*. Da wir nur im moralischen Wollen ein wahres Verhältnis zur Gottheit haben, können wir Gott auch nur durch rechtes Handeln dienen. Jeder Glaube, der durch äußerliche Zeichen der Verehrung Gott wohlgefällig zu sein glaubt, ist Aberglaube.

Einheit der Kantischen Philosophie

Sie erkennen, wie innerlich notwendig Kants theoretische und praktische Philosophie zusammenhängen. Auch geschichtlich bilden beide Teile eine untrennbare Einheit. Schon in der ersten Auflage der Kritik der reinen Vernunft hat Kant auf die Ergänzung dieses Werkes durch die Moralphilosophie hingewiesen. Es gab keine Zeit in Kants Leben, in der er nur die negativen Teile seiner Philosophie besessen hätte. Ich betone das, weil das Gegenteil oft behauptet wird. *Heinrich Heine* hat einmal in seiner witzigen Art gesagt: Kant habe in der Kritik der reinen Vernunft den lieben Gott totgeschlagen, dann aber habe der Philosoph an seinen alten Diener Lampe gedacht, der ihm auf seinen regelmäßigen Spaziergängen den Regenschirm nachtrug. Er habe überlegt, daß Lampe ohne den lieben Gott nicht glücklich sein könnte, es sei aber praktisch nötig, daß Lampe glücklich sei, und darum habe Kant in der Kritik der praktischen Vernunft den lieben Gott wieder auferweckt. Das ist ebenso amüsant wie falsch. Kant hat in der Kritik der reinen Vernunft nicht etwa das Dasein der Gottheit widerlegt, sondern nur falsche Beweise für dieses Dasein entkräftet und gezeigt, daß aus rein theoretischen Gründen über die Gottheit gar nichts gefolgert werden kann. Im Hintergrunde stand dabei die Überzeugung, daß es andere, moralische Gründe gebe, durch die wir der Gottheit gewiß werden. Was Heine witzig gesagt hat, wiederholte *Ernst Häckel* später in trockenem Lehrton; es ist aber dadurch nicht wahrer geworden. Natürlich hat jeder denkende Mensch das Recht zu prüfen, ob der von Kant behauptete Zusammenhang zwischen theoretischer und praktischer Philosophie begründet ist. Aber die Behauptung, daß ein solcher Zusammenhang für den Philosophen selbst nicht bestehe, daß Kant aus äußeren Gründen oder aus innerer Feigheit seine Meinung geändert habe, beruht bestenfalls auf grober Unkenntnis der Tatsachen.

Gegen meine Gewohnheit in diesen Vorträgen habe ich eben eine fremde Auffassung schroff bekämpft. Ich mußte das tun, weil sie darauf ausgeht, das Wertvollste, was Kants Philosophie nach meiner festen Überzeugung für unser ganzes Leben geleistet hat, einem billigen Hohne preiszugeben. Ich will Ihnen dieses Wertvollste jetzt noch in einem großartigen Bilde vorführen. *Johann Gottlieb Fichte*, Kants selbständigster Schüler, war zugleich eine lebendige Verkörperung von Kants Moralphilosophie.

Die Betrachtung seiner Persönlichkeit rundet unsere Darstellung gleichsam zum Kreise. Mit einer Philosophie, die ganz Leben war, habe ich begonnen. Dann zeigte ich, wie sich mehr und mehr das Denken zurückziehen mußte in den stillen Garten Platons und tiefer noch in die einsame Studierstube der neueren Denker. Jetzt aber werde ich zu Ihnen von einem Manne reden, der den Gewinn an Zusammenhang und Gründlichkeit, wie das einsame Denken ihn bringt, wohl kannte, der selbst einen großen Teil seines Lebens mit lebensfernen Studien zubrachte, dann jedoch das so Errungene wieder ins Leben zurückführte und dem Leben dienstbar machte.

Johann Gottlieb Fichte wurde am 19. Mai 1762 als Sohn eines Leinenwebers und Bandhändlers in dem Dorfe Rammenau, das zur sächsischen Lausitz gehört, geboren. Obwohl die Handweber damals noch nicht durch die Konkurrenz der Fabriken zum Hunger verurteilt waren, ging es doch bei Fichtes Eltern dürftig zu, zumal dem ältesten Sohne noch sieben Geschwister folgten. Während Fichte die Dorfschule besuchte, mußte er zugleich als Gänsejunge zum Unterhalte der Familie beitragen. Sein lebhafter Geist ergriff die einzige Anregung, die sich ihm bot, mit Feuer: die sonntäglichen Predigten prägte er sich so gut ein, daß er sie aus dem Gedächtnis herzusagen wußte. Eines Sonntags kam zum Gutsherrn von Rammenau ein benachbarter reicher Edelmann, ein Herr von Miltitz, zu Besuch. Als er bedauerte, die Predigt bereits versäumt zu haben, machte man ihn auf die Fähigkeit des jungen Fichte aufmerksam; er ließ ihn zu sich kommen und die Predigt wiederholen, unterhielt sich darauf mit dem Knaben und fand, daß dieser nicht etwa die Worte mechanisch hergesagt, sondern den Sinn vollständig erfaßt hatte. Der Eindruck dieser Begabung war so stark, daß Miltitz sich entschloß, Fichte auf seine Kosten ausbilden zu lassen.

Fichtes Jugend

Durch einen Pfarrer auf einem der Güter des Herrn von Miltitz vorbereitet, trat er 1774 in die berühmte Anstalt Schulpforta ein. Schulpforta ist ein Internat, d. h. die Zöglinge wohnen in der Anstalt. Schon die strenge Disziplin, die hier herrschte, bedrückte den an Freiheit gewöhnten Knaben; schlimmer aber war für sein empfindliches Rechtsgefühl die Roheit der älteren Genossen gegen die jüngeren. Sie trieb ihn zu einem Fluchtversuch, von dem ihn indessen der Gedanke an seine Eltern bald zurückbrachte. So durchlief er die Anstalt und begab sich, ausgerüstet mit gründlicher Bildung besonders in den alten Sprachen 1780 nach der Universität Jena, die er bald mit Leipzig vertauschte, um Theologie zu studieren.

Materielle Not, der Zwang, durch Stundengeben sein Brot zu verdienen, beeinträchtigten sein Studium. Miltitz war gestorben; seine Erben unterstützten ihn eine Zeitlang, aber diese stets unzureichende Hilfe versiegte bald ganz. Die Nöte des Hauslehrer- und Hofmeisterdaseins mußte Fichte bis auf die Neige auskosten, schließlich war er völlig mittellos, seine Rechtlichkeit verbot ihm, Geld zu borgen, da er nicht die Möglichkeit sah, es wiederzugeben. Aus dieser äußersten Not befreite ihn 1788 der alte Dichter Chr. Felix Weiße, einst Lessings Jugendfreund, indem er ihm eine Hauslehrerstelle bei einem Gastwirt in Zürich verschaffte.

Indessen hinderte Fichte seine Selbstachtung und sein Pflichtgefühl, in der Erziehung seiner Zöglinge eine bloße Versorgung für sich selbst zu sehen; er faßte dieses Amt als echten Beruf auf und fühlte sich daher berechtigt, alle Störungen in diesem Berufe zu bekämpfen. Als störend empfand er vor allem die Schwächen der Eltern; daher legte er sich ein Tagebuch an, in das er die bedeutendsten Erziehungsfehler der Eltern einschrieb, und las es ihnen am Ende jeder Woche vor. Anderthalb Jahre lang dauerte diese Tätigkeit Fichtes; und es spricht immerhin für den Charakter jener Bürgersleute, daß das Verhältnis nicht auf ihren, sondern auf Fichtes Wunsch gelöst wurde.

In Zürich fand Fichte nicht nur Erholung von seinen materiellen Nöten, sondern auch zum erstenmal in seinem Leben einen ihm angemessenen Verkehr. Besonders eng schloß er sich an einen Kaufmann Rahn an, der einst ein Freund des Dichters Klopstock gewesen war, dessen Schwester geheiratet hatte, und dem nach dem Tode seiner Frau die einzige Tochter Johanna die Wirtschaft führte. Sie erkannte Fichtes hohen Wert, ihre Liebe fand Erwiderung, und als ihr Verlobter verließ Fichte die Schweiz.

In Leipzig, wohin er zurückkehrte, erwartete ihn freilich die alte Not, noch verschärft durch den Gegensatz gegen die hohe Meinung, die Fichte von sich selbst hegte. Damals, am 20. Juni 1790, schrieb er an seinen Vater: »Den gewöhnlichen Weg schleichen – mich auf eine Dorfpfarre setzen, kann ich einmal nicht, und Gott, der mir diesen Sinn gab, weiß, daß ich es nicht kann.« Man gewinnt aus seinen Briefen und seiner Lebensführung den Eindruck, daß Fichte sich zu Großem berufen fühlte, aber noch nicht wußte, auf welchem Gebiete seine künftigen Leistungen liegen würden. Da brachte ein scheinbar unbedeutendes Ereignis die Entscheidung. Ein Student wünschte Unterricht von ihm in der Kantischen Philosophie. Fichte konnte schon aus äußeren Gründen solche Angebote nicht abweisen, und da er als gewissenhafter Mensch doch genau kennen mußte, was er lehren sollte, vertiefte er sich in Kants Werke. Eine neue Welt ging ihm auf. Am 5. März 1791 schrieb er an einen seiner Brüder: »Aus Verdruß« (daß sich gewisse Aussichten nicht erfüllten) »warf ich mich in die Kantische Philosophie, …, die ebenso herzerhebend als kopfbrechend ist. Ich fand darin eine Beschäftigung, die Herz und Kopf füllte; mein ungestümer Ausbreitungsgeist schwieg: das waren die glücklichsten Tage, die ich je verlebt habe. Von einem Tage zum andern verlegen um Brot, war ich dennoch damals vielleicht einer der glücklichsten Menschen auf dem weiten Runde der Erden.«

Was gab Fichte die Kantische Philosophie? Natürlich hatte er schon vorher philosophiert; denn Philosoph wird nur, wer mit dem Verlangen nach sicherem, einheitlichem Wissen geboren ist, und ein Mensch, in dem der Drang des Fragens lebt, beginnt früh nachzudenken. Fichte kam dabei zu Ansichten, die in manchem denen Spinozas ähnelten. Vor allem war er überzeugt von der notwendigen einheitlichen Ordnung der Welt, in deren durchgehender Bestimmtheit kein Platz für die Freiheit des Willens ist. Gerade die Frage der Willensfreiheit hatte den tatendurstigen Jüngling viel beschäftigt, er hatte darüber auch mit seinem Schwiegervater Rahn diskutiert und den alten Mann zu seiner Überzeugung gebracht. Jetzt schrieb er ihm, er erkenne, daß sie sich damals beide geirrt hätten; denn sie seien von der unrichtigen Seite ausgegangen. Wir dürfen ja nicht das Weltganze an den Anfang stellen, sondern wir müssen uns an den Gesetzen und Aufgaben des Erkennens orientieren. Da das Weltganze selbst ein Ziel für unsern Erkenntniswillen ist, täuschen wir uns, wenn wir uns als unfreie Glieder dieses Ganzen fühlen. In Kants Lehren findet Fichte gerechtfertigt, was sein stolzer Freiheitswille forderte; zugleich weiß er nun, was der Kern seiner Begabung ist. Von jetzt ab ist er ganz Philosoph; sein Ziel muß sein, das Leben nach den Anforderungen der Philosophie zu gestalten.

Seine äußere Lage freilich war bedrängter als je, auch seine Heirat rückte infolge geschäftlicher Verluste seines Schwiegervaters in unbestimmte Ferne. Er mußte sich entschließen, noch einmal eine Hauslehrerstelle anzunehmen und fand sie in einer gräflichen Familie in Warschau. Dort traf er es indessen weit ungünstiger als bei jenen Züricher Bürgersleuten, die sich dem Eindruck seiner Persönlichkeit nicht hatten entziehen können. Die Gräfin, die ihren Gemahl völlig beherrschte, sah in dem Hauslehrer nur einen Bedienten, von dem sie Unterordnung unter ihre Launen und die Manieren eines französischen Tanzmeisters verlangte. Gleich die erste Unterredung verlief so, daß Fichte die Stellung nicht antreten konnte; die Entschädigung die er für die Geld- und Zeitverluste der weiten Reise fordern mußte, erhielt er erst, als er mit gerichtlicher Klage drohte.

Fichtes philosophische Anfänge

Da Fichte nach Empfang der Entschädigung einige Mittel besaß und sich zudem nicht sehr weit von Königsberg befand, beschloß er, dort Kant aufzusuchen, den er unter allen Lebenden am höchsten verehrte. Aber dieser Besuch brachte ihm zunächst eine neue Enttäuschung. Der große alte Mann, der oft von unbekannten Besuchern belästigt wurde, empfing den Kandidaten der Theologie Fichte, wie dieser selbst schreibt, »nicht sonderlich«. Um sich eine andere Aufnahme zu verdienen, blieb Fichte nun in Königsberg und arbeitete in wenigen Wochen seine Gedanken über Religionsphilosophie aus. Die Handschrift schickte er unter dem Titel: »*Versuch einer Kritik aller Offenbarung*« an Kant, der daraus die Begabung des Einsenders erkannte und Fichte bei einem neuen Besuche, wie wir wiederum von diesem selbst wissen, »mit ausgezeichneter Güte« aufnahm. Fichte war gezwungen, diese Güte für sein äußeres Leben in Anspruch zu nehmen, da seine Mittel erschöpft waren. Kant gewährte das erbetene Darlehn seinen Grundsätzen gemäß nicht, half aber in viel gründlicherer und vornehmerer Weise dadurch, daß er Fichte einen Verleger für seine Arbeit und eine passende Hauslehrerstelle bei einem Grafen Krockow in der Nähe von Danzig verschaffte. Dort fühlte er sich bei gebildeten Menschen wohl und hatte Muße, seine Schrift eingehend durchzuarbeiten. Ostern 1792 erschien sie im Buchhandel; gegen Fichtes Wunsch, aber vielleicht nicht ohne Nebenabsicht des Verlegers anonym. Eines der ersten kritischen Blätter jener Zeit, die Jenaer Literaturzeitung, erklärte, der erhabene Verfasser lasse sich gar nicht verkennen, das Buch sei von Kant. Natürlich berichtigte Kant das sofort und nannte als Verfasser den Kandidaten der Theologie Johann Gottlieb Fichte. Dadurch war der unbekannte Hauslehrer plötzlich ein berühmter Mann geworden; denn wer ein Buch schreiben konnte, das man für ein Werk Kants hielt, hatte Anspruch auf allgemeine Beachtung.

Auch äußerlich wendete sich jetzt sein Geschick. Sein Schwiegervater hatte wenigstens einen Teil seines Vermögens retten können, und Fichte durfte nun endlich an die Heirat denken. Er ging nach Zürich und führte am 22. Oktober 1793 seine Braut heim. Den Winter verbrachte das junge Paar in der Heimat der Frau; Fichte lebte in einem angeregten Kreise und lernte auch den großen Propheten echter Volksbildung *Pestalozzi* kennen. Zugleich zeigte sich die Richtung seines Geistes, die philosophischen Erkenntnisse für die Erfassung der Gegenwart nutzbar zu machen, und seine Begeisterung für einen freien Staat in einer Schrift über die Französische Revolution. Im Sommer des nächsten Jahres folgte er einem Rufe an die Universität Jena und übte dort vom ersten Tage an eine hinreißende Wirkung auf die Studenten aus. Von vornherein zerfiel seine Lehrtätigkeit in zwei Teile: in umfangreichen Vorlesungen bildete er die Kantische Philosophie in seiner Weise fort, während er in kürzeren, allgemeinverständlichen Vorträgen im Geiste dieser Philosophie auf die Menge der Studierenden einwirkte und ihnen die echten Lebensaufgaben der gelehrten Stände vor Augen führte.

Die Wissenschaftslehre

Die theoretische Philosophie Fichtes ist zu schwierig, um hier dargestellt zu werden. Nur was der Philosoph wollte, kann ich Ihnen deutlich machen. Ich sagte vorher: Kants Philosophie gab ihm die Möglichkeit, die Freiheit des Willens zu bejahen. Er sah nun ein, daß zwei Weltanschauungen entstehen, je nachdem man von den Dingen, von der Natur ausgeht oder von dem Ich, von seiner Tat im Erkennen und Handeln. Die erste Weltanschauung hat Spinoza am folgerichtigsten durchgebildet, Kant hat sie widerlegt. Aber Kant, obwohl er im erkennenden und handelnden Ich das Zentrum aller Einsicht entdeckte, hat doch die einzelnen Grundsätze nicht aus diesem Einheitspunkte abgeleitet. Das will Fichte tun. Die Vielheit der Kategorien, die Anschauungsformen, der Stoff sinnlicher Empfindungen stehen bei Kant nebeneinander, sie sollen aus *einem* Grundsatze abgeleitet werden. Gegenstand dieses Grundsatzes kann nur das Zentrum des Erkennens, das Ich sein. Obwohl Fichte nicht wie Spinoza von der Substanz ausgeht, von einem festen Ganzen, das uns gegeben ist, sondern vom Handeln des Ich, begegnet ihm doch die Schwierigkeit, die wir am Systeme des Spinoza aufgewiesen haben: die Inhaltfülle der Welt aus einem Grundsatze abzuleiten. Er hat sein Leben lang mit diesem Problem gerungen; wir können die Versuche der Lösung nicht verfolgen, so wertvoll sie für den Fortschritt philosophischer Erkenntnis sind. Eine befriedigende Lösung konnte er nicht finden. Wichtig ist uns, daß Fichte in der Richtung seines Denkens Kantianer bleibt, insofern er nicht von den Dingen, sondern von der Erkenntnis der Dinge ausgeht. Philosophie ist also nicht Weltweisheit, wie man früher wollte, sondern, wie Fichte sie nannte, *Wissenschaftslehre*. Kant hatte an die einzelnen Voraussetzungen der Wissenschaft angeknüpft, Fichte suchte den einheitlichen Zusammenhang aller dieser Voraussetzungen abzuleiten. Gemeinsam ist ihnen allen, daß sie Formen des Erkennens sind, ihre Einheit muß also die Einheit des Erkennens sein. Eine solche Einheit der vereinzelten Eindrücke und Vorstellungen haben wir im Sinne, wenn wir sagen: ich erkenne. Uns selbst fühlen wir als Vereinigung, als Einheitsquelle aller Einzelheiten. Aber als solche Einheitsquellen sind wir alle wesentlich gleich, hierfür kommt die Verschiedenheit der Menschen voneinander nicht in Betracht. Wir wissen ja bereits, daß die Vernunft nicht dem einzelnen Menschen angehört. In uns finden wir, sobald wir auf uns selbst reflektieren, diese allgemeine Vernunft als ein Handeln gemäß der Forderung der Wahrheit. Wir finden uns als Einheit, als »Ich«, nicht als bloße Summe von Eindrücken und Vorstellungen, sofern dieser Einheitswille der Vernunft in uns lebt. An diese allgemeine Vernunft, die den einzelnen erst zum Ich macht, denkt Fichte, wenn er in seiner Philosophie vom Ich ausgeht, ganz und gar nicht an seine eigene begrenzte Person. Der oft wiederholte Spott, daß Fichte sich selbst für den Schöpfer der Welt gehalten habe, trifft also den Philosophen gar nicht.

Indessen hat dieses reine Ich doch eine sehr innige Beziehung zu jedem einzelnen Menschen; denn jedem von uns ist als Aufgabe gestellt, das reine Ich, die Vernunft, zu verwirklichen. Auf zwei Wegen muß dies geschehen: theoretisch durch immer vollkommenere Erkenntnis, praktisch durch Unterwerfung der Welt unter den vernunftgeleiteten Willen. Was wir äußere Welt nennen, kommt für uns nur als Material dieser Tätigkeiten in Betracht.

Gemäß diesen Grundsätzen handelte Fichte und führte, was er für Recht hielt, ohne irgendwelche Rücksichten durch. Konflikte konnten bei einer solchen Denkungsart nicht ausbleiben. Bald geriet er in Streitigkeiten mit zuchtlosen studentischen Verbindungen; von allgemeinerem Interesse aber sind andere Kämpfe, durch die er gezwungen wurde, Jena zu verlassen.

Fichte ließ in einer von ihm herausgegebenen philosophischen Zeitschrift einen religionsphilosophischen Aufsatz abdrucken, dessen Inhalt er mißbilligte, den er aber doch für beachtenswert hielt. Um dabei seine abweichende Überzeugung geltend zu machen, veröffentlichte er gleichzeitig eine eigene Arbeit über den gleichen Gegenstand, die seine Auffassung von Kants Vernunftglauben entwickelte. Gott, so führte er aus, kann von uns nur in Beziehung auf uns selbst erfaßt werden; ein Recht, unserem Sein ewige Bedeutung und damit Beziehung zur Gottheit zu geben, haben wir aber nur, sofern wir moralische Wesen sind. Die Unvollkommenheit, deren wir uns immer bewußt bleiben, bedarf hier einer Ergänzung, und da die Forderung der Moral das Allergewisseste ist, sind wir auch dieser Ergänzung gewiß. Wir sind also überzeugt, daß die Ordnung der Welt mit den Anforderungen der Moral übereinstimmt; diese moralische Weltordnung und nichts anderes ist uns Gott. Die Mehrzahl der Menschen glaubt in der Gottheit ein Wesen neben andern Wesen zu haben, eine Macht, mit der sich verhandeln läßt, und die dazu da ist, unsere Wünsche zu erfüllen, wenn wir ihr gewisse Dienste leisten. Gegen einen solchen lohnsüchtigen, moralisch verwerflichen Glauben wendete sich Fichte im Namen der wahren Religion. Der Gott, den jener Aberglaube meint, existiert nicht.

Atheismusstreit

Aus solchen Äußerungen leiteten Fichtes Gegner ihren Vorwurf her, daß der Philosoph ein Gottesleugner, ein Atheist sei. Eine anonyme Broschüre giftigster Art warnte vor dem Verführer der Jugend und fand trotz ihrer offenbaren Gehässigkeit Gehör; die Dresdner Regierung forderte das Ministerium von Sachsen-Weimar zum Einschreiten gegen Fichte auf. Im Weigerungsfalle drohte sie, ihren Untertanen den Besuch der Universität Jena zu verbieten. Da eine solche Maßregel für die Universität gefährlich geworden wäre, suchte man in Weimar nach einem Ausweg, der die Dresdner Regierung beruhigte, ohne Fichte und die Freiheit der Wissenschaft zu verletzen. Man hätte am liebsten alles Aufsehen vermieden und der Form wegen Fichte einen Verweis erteilt, ohne ihn im übrigen in seiner Freiheit einzuschränken. Der stolze Mann aber war keineswegs geneigt, ungerechten Tadel hinzunehmen, zumal in ihm die Freiheit der Wissenschaft angegriffen war; er durchkreuzte daher alle Versuche diplomatischer Vertuschung, indem er sich zugleich vor der Öffentlichkeit in einer Broschüre und vor der vorgesetzten Behörde in einer ausführlichen Eingabe verteidigte. Das Recht stand bis hierher vollständig und unzweifelhaft auf seiner Seite; leider ließ er sich indessen durch den schlechten Rat eines Freundes dazu verführen, in einem schroffen Brief an einen der vorgesetzten Beamten zu erklären, daß er im Falle eines Verweises Jena verlassen müsse und daß andere Professoren sich ihm anschließen würden. Die Drohung, die in diesem Briefe lag, verletzte Goethe, der als weimarischer Minister die entscheidende Stimme hatte, aufs tiefste. Aus seiner hohen Vorstellung von dem Werte staatlicher Autorität heraus erklärte er, er würde seinen eigenen Sohn maßregeln, wenn er einen solchen Brief an seine Regierung zu schreiben wagte. Obwohl Fichte jenen unbesonnenen Schritt bereits bedauerte, wurde ihm doch zugleich mit dem Verweis die angebotene Entlassung erteilt. Da die kursächsische Regierung ihm sogar den Aufenthalt in sächsischen und thüringischen Landen unmöglich zu machen suchte, begab er sich nach Berlin. Auch dorthin verfolgten ihn seine Gegner; aber der schlicht fromme König Friedrich Wilhelm III. soll, als Fichtes Angelegenheit ihm vorgetragen wurde, gesagt haben: »Ist Fichte ein so ruhiger Bürger, als aus allem hervorgeht, und so entfernt von gefährlichen Verbindungen, so kann ihm der Aufenthalt in meinen Staaten ruhig gestattet werden. Ist es wahr, daß er mit dem lieben Gotte in Feindseligkeiten begriffen ist, so mag dies der liebe Gott mit ihm abmachen, mir tut das nichts.«

Der geschlossene Handelsstaat

In Berlin war Fichte schriftstellerisch außerordentlich tätig. Unter seinen Arbeiten aus dieser Zeit wollen wir nur eine näher betrachten, weil sie für seine Übertragung der philosophischen Grundsätze auf die Fragen des Lebens sehr bezeichnend ist. Sie ist unter dem Titel »*Der geschlossene Handelsstaat*« 1800 erschienen.

Durchaus von Kantischen Grundsätzen ausgehend, wendet Fichte diese doch in höchst eigenartiger Weise an. Kantisch ist die Bestimmung des Verhältnisses von Staat und Sittlichkeit. Die Sittlichkeit besteht nur in der Güte des Willens; der bloße Gehorsam gegen die Gesetze, die Gesetzlichkeit oder Legalität, ist keineswegs Sittlichkeit. Umgekehrt hat die äußere Macht, der Staat, gar keine Möglichkeit, seine Bürger sittlich zu machen; das ist auch durchaus nicht seine Aufgabe. Ihm kann es nur darauf ankommen, daß das äußere Zusammenleben seiner Bürger geordnet sei. Für die Gesetze des Zusammenlebens, die der Staat aufstellt, fordert er Gehorsam, ohne sich um die Gründe dieses Gehorsams weiter zu kümmern. Aber unser ganzes Leben steht im Dienste der sittlichen Aufgabe; auch der Staat, obwohl er nicht direkt Wächter und Förderer der Sittlichkeit ist, hat doch mit der ganzen äußeren Ordnung, die er aufstellt und schützt, nur als Diener sittlichen Strebens Wert und Recht. Jeder Mensch ist verpflichtet, die ihm gestellten sittlichen Aufgaben zu erfüllen, er kann das nur, wenn er sich seinen Anlagen und Kräften gemäß betätigt. Aus Pflichten entspringen nach Fichtes Überzeugung alle Rechte; denn jeder darf fordern, daß er instand gesetzt werde, seine Pflicht zu erfüllen. Soll der Mensch sich betätigen, so muß er leben und wirken können. Es ist die Aufgabe des Staates, ihm diese Möglichkeit gegen äußere Eingriffe zu gewährleisten. Jeder soll arbeiten; um zu arbeiten, muß er leben. Darum gibt es ein unbedingtes Recht, ein Urrecht jeder Person, sofern sie arbeitswillig oder arbeitsunfähig ist, auf den notwendigen Lebensunterhalt. Ihr diesen Unterhalt zu gewähren, ist kein Almosen, sondern

Pflicht. »Daher hat der Arme ein absolutes Zwangsrecht auf Unterstützung.« Aber da der Mensch nur als moralische Person, d. h. als wollende und arbeitende, ein Recht auf Dasein hat, so soll jeder auch nur von seiner Arbeit leben. Wenn der Staat die Aufgabe hat, jedem dieses Recht zu sichern, so muß er auch die Mittel zur Erfüllung dieser Aufgabe haben, d. h. er muß die Herstellung und Verteilung der Lebensbedürfnisse überwachen; er muß etwa befehlen können, daß der Boden zum Anbau von Getreide und nicht zu Jagdgründen benutzt wird, er muß dafür sorgen, daß ein genügender Teil seiner Bürger sich mit der Herstellung der nötigsten Nahrungsmittel beschäftigt usw. Soll der Staat die Produktion regulieren, so muß er sie übersehen können. Das vermag er indessen nur zu tun, wenn sein Wirtschaftsgebiet geschlossen ist. Er kann doch z. B. nur dann die Herstellung einer Ware befehlen, wenn zugleich für ihren Absatz gesorgt wird. Dann aber darf diese Ware nicht durch billigere Produkte des Auslandes vom heimischen Markte verdrängt werden. Darum also muß der Staat ein geschlossener Handelsstaat sein. Vom Auslande ist nur zu beziehen, was das Inland aus klimatischen oder ähnlichen Gründen nicht erzeugen kann und was zugleich unentbehrlich ist. Den Einkauf dieser Waren im Austausch gegen überschüssige Produkte des Inlands behält sich der Staat vor.

Fichte hat nicht etwa gemeint, daß diese Wirtschaftsordnung ohne weiteres eingeführt werden könnte, er wollte nur ein Idealbild aufstellen und forderte von dem wirklichen Staate, daß er sich diesem Ideale allmählich nähere. Fichtes Idealstaat ist sozialistisch, sofern die Staatsgewalt ein sehr weitgehendes Aufsichtsrecht über Erzeugung, Verteilung und Verbrauch der Güter erhält. Kommunistisch freilich ist er nicht; denn das Privateigentum, auch das Privateigentum an Produktionsmitteln, bleibt bestehen. Außer durch diesen Umstand unterscheidet sich Fichtes Sozialismus von der bei unseren Sozialdemokraten herrschenden Richtung trotz mancher Ähnlichkeit doch durch die Art seiner Begründung. Diese gibt jedem Menschen den gleichen Anspruch auf Glück, für Fichte dagegen ist wie für seinen Lehrer Kant nicht Glück, sondern sittliche Betätigung das Ziel des Menschenlebens. Aus diesem Ziele leitet er auch das Eigentumsrecht ab. Wir haben Eigentum im Grunde nur insofern an den Dingen, als wir gewisse Handlungen an ihnen vornehmen dürfen. Ein Werkzeug gehört mir, das bedeutet, ich habe ein Recht, es zu benutzen. Die Ausschließlichkeit dieses Rechtes ist nötig, weil nicht mehrere zugleich dieselben Handlungen mit demselben Dinge vornehmen können. Diese Ausschließlichkeit oder das Eigentumsrecht im eigentlichen Sinne des Wortes gibt es nur im Staat und durch den Staat; also hat der Staat auch die Aufgabe, dieses Recht so zu bestimmen und zu beschränken, daß es den Anforderungen der sittlichen Ordnung der Menschenwelt genügt.

Wir haben nicht zu untersuchen, ob und inwieweit die einzelnen Vorschläge des geschlossenen Handelsstaates notwendig, zweckmäßig und durchführbar sind. Philosophisch wichtig ist die Art ihrer Begründung, und diese muß für solche Untersuchungen vorbildlich bleiben, mögen auch alle Einzelheiten durch veränderte Verhältnisse und erweiterte nationalökonomische Kenntnisse sich ganz anders darstellen.

Unwillkürlich werden Sie bei diesem Staatsideal an den platonischen Staat zurückgedacht haben. Der Gegensatz fällt sofort in die Augen: Platon hatte zwar für die oberen Stände das Privateigentum abgeschafft, aber – wenigstens im »Staat« – keinen eigentlichen Sozialismus gelehrt; denn die Eigentumsverteilung des wirtschaftlich arbeitenden Volkes, die ganze Lage dieses Volkes war ihm gleichgültig gewesen. Das hängt mit Platons Philosophie aufs engste zusammen; ihm kam es überall nur darauf an, daß die Ideen sich rein in der Wirklichkeit spiegeln, daher bestand für ihn die Aufgabe des Staates darin, die Idee des Menschen, der kein einzelner gleichzukommen vermag, im Großen darzustellen. Der Nährstand entsprach dabei den niederen Begierden und Trieben, die zum Leben nötig sind, im übrigen aber dienen müssen. So hoch diese Anschauung mit ihrer reinen Hingabe an das Ideal auch steht, immer blickt sie auf den *Erfolg*, nicht auf den *Willen*; wer jeder Menschenseele die Anlage zur vollen Sittlichkeit zuspricht, wer im guten Willen unabhängig von der Höhe der Erkenntnis und der Größe der Fähigkeiten den höchsten Wert sieht, kann solche aristokratische Härte nicht gutheißen. Das Christentum, für das jeder Mensch zur Gotteskindschaft berufen ist, mußte den starren antiken Stolz schmelzen; erst auf seinem Boden konnte der Gedanke von dem unvergleichlichen Werte jeder Seele wachsen, den die neuere Philosophie zur Klarheit brachte. Die Idee der Menschheit liegt für Kant und Fichte in jedem einzelnen Menschen, und darum hat jeder ein Recht darauf, sich seinen Fähigkeiten gemäß als freie, sittliche Persönlichkeit zu betätigen.

Fichte blieb mit Ausnahme einer kurzen Lehrtätigkeit an der damals preußischen Universität Erlangen in Berlin. Er ließ seine Familie dorthin nachkommen und verkehrte viel mit allen führenden Geistern der preußischen Hauptstadt. Berlin besaß damals noch keine Hochschule, aber dem Bildungsbedürfnis weiter Kreise kam man durch Vorlesungen entgegen. So hielt auch Fichte öffentliche Vorträge, die sehr besucht waren.

In diesen Reden schmeichelte er der vornehmen und bildungsstolzen Gesellschaft keineswegs, erfüllte vielmehr hier wie immer, wenn er sich an die breitere Öffentlichkeit wandte, die Aufgabe, durch die Philosophie auf das Leben bessernd zu wirken. Ja, er faßte diese Aufgabe jetzt noch viel genauer. Er stellte nicht mehr bloß ein Bild des Gelehrten, des Staates, des Menschen auf, wie er sein sollte, sondern er fragte nach der besonderen Beschaffenheit seiner Zeit und nach den Aufgaben, die aus dieser besonderen Beschaffenheit folgten.

Grundzüge des gegenwärtigen Zeitalters

Im Winter 1804–1805 hielt er Vorträge unter dem Titel: *Grundzüge des gegenwärtigen Zeitalters*. Die Frage, was bedeutet unsere Zeit, kann man nur beantworten, wenn man eine Überzeugung von der Bestimmung des Menschengeschlechtes zugrunde legt und dann untersucht, wie sich die bisherige Entwicklung zu dieser Bestimmung verhält. Das Ziel des Menschen ist sittliches Handeln, d. h. ein Handeln aus Pflichtbewußtsein und zugleich aus voller Pflichterkenntnis. Seine Pflicht erkennen aber kann nur der Mensch, in dem das vernünftige Denken frei und mächtig geworden ist. Auch soll er ja das Rechte aus seiner eigenen Erkenntnis heraus tun, er soll autonom sein und nicht einer fremden Autorität folgen. Wenn die Menschheit auf dieser Stufe stehen wird, so werden auch alle äußeren Angelegenheiten den Anforderungen der Vernunft gemäß geordnet sein. Das Ziel der Menschheit ist also ein Zeitalter der Vernunftkunst. Wie verhält sich nun die bisherige Entwicklung zu diesem Ziele? Der Mensch soll sich zum Vernunftwesen entwickeln. Daraus folgt, daß er am Anfang seiner Geschichte noch kein solches Vernunftwesen ist, aber doch die Anlage dazu in sich hat. Die noch unbewußte Anlage bewährt sich zunächst in einer für die früheren Zustände des Menschengeschlechts zweckmäßigen Lebensordnung. Da diese Regelung nicht dem Denken entstammt, doch aber zweckmäßig ist, spricht Fichte von einem Vernunftinstinkt. Noch unfähig, sich selbst das Gesetz zu geben, unterwerfen sich die Menschen einer äußeren Autorität. Ein bloß gesetzliches Handeln gewöhnt sie an Beherrschung ihrer sinnlichen Triebe durch ein Gebot. Zugleich bilden sich die äußeren Formen des menschlichen Zusammenlebens aus, auch sie geschützt durch die Heiligkeit göttlicher Gebote. Da aber der Mensch dazu bestimmt ist, frei zu werden, so muß er aus diesem Zustande heraustreten, er muß dazu übergehen, selbst zu prüfen und nur das zu befolgen, was er für recht erkannt hat. Diese Befreiungs- und Aufklärungsbewegung führt zunächst zum Zweifel an dem Rechte der Autoritäten, die bis dahin die egoistischen Triebe in Schranken gehalten haben, und bald zur Leugnung dieses Rechtes. Da die Einsicht in das Sittengesetz, in die Notwendigkeit der Vernunft fehlt, folgt jeder seiner eigenen Selbstsucht. Nur die gegenseitige Furcht hält die Ordnung der menschlichen Gesellschaft noch aufrecht. Aus wohlverstandenem Eigennutz schont man Leben und Eigentum der andern, damit diese uns die gleiche Rücksicht zuteil werden lassen; aber niemand will für das Ganze, für große sittliche Ziele Opfer bringen. Dieser Zustand kann nur überwunden werden, wenn das von seinen Fesseln befreite Denken sich auf die in ihm selbst liegenden Befehle der Vernunft besinnt, und wenn das durch keine Autorität mehr gebundene Handeln sich aus Erkenntnis seiner Pflicht in den Dienst der großen Ziele der Menschheit stellt. Noch, so sagt Fichte zu seinen Hörern, die meist in dem Gefühle lebten, es herrlich weit gebracht zu haben, noch fehlt den meisten diese Einsicht und dieser Entschluß, noch leben wir im Zeitalter der vollendeten Sündhaftigkeit. Die Menschheit muß durch diesen Zustand hindurch, aber nur solche Völker werden die allgemeine Kultur fördern und selbst weiterbestehen, deren Mitglieder aus eigener Freiheit sich sittlich bestimmen.

Denken wir an den Zeitpunkt jener Vorträge, so wirken sie fast prophetisch. Schon 1806 brach der preußische Staat zusammen. Nach der Schlacht bei Jena (14. Oktober 1806) verließ Fichte Berlin. Er konnte nicht als Untertan des fremden Eroberers leben, der für ihn eine Verkörperung kraftvoller Selbstsucht war, und dessen Sieg er sich daraus erklärte, daß seine Gegner Selbstsucht mit Schwäche paarten. In Königsberg, wohin Fichte dem König gefolgt war, faßte er, als Preußen und Deutschland für immer vernichtet schienen, zugleich mit wenigen andern Getreuen Entschluß und Plan der inneren Erneuerung. Der Grundsatz seiner kraftvollen Sittlichkeit: »Du kannst, denn du sollst«, hatte sich jetzt zu bewähren. Der lebenden Generation freilich traute er die Kraft sittlichen Entschlusses nicht zu, sondern erwartete die Besserung von einem besser erzogenen Geschlechte. Jetzt erkannte er die volle Bedeutung der neuen Erziehungsweise, die er bei Pestalozzi in Zürich kennengelernt hatte.

Um die in Königsberg gefaßten Vorsätze zu verwirklichen, hielt er in Berlin, wohin er nach dem Friedensschlusse zurückgekehrt war, unter den Augen der französischen Spione im Winter 1807–1808 seine berühmten *Reden an die deutsche Nation*. Kurz zuvor war in Nürnberg der Buchhändler Palm standrechtlich erschossen worden, weil in seinem Verlage eine gegen Napoleon gerichtete Broschüre erschienen war. Unter dem Eindruck dieser Gewalttat schrieb Fichte am 2. Januar 1808 an Beyme:»Ich weiß recht gut, was ich wage, weiß, daß ebenso wie Palm das Blei mich treffen kann. Aber dies ist es nicht, was ich fürchte, und für den Zweck, den ich habe, würde ich auch gerne sterben.«

Die Reden an die deutsche Nation knüpften unmittelbar an die»Grundzüge des gegenwärtigen Zeitalters« an. Die Zeit der vollendeten Sündhaftigkeit hat ihre Früchte gezeigt, der Staat ist zusammengebrochen. Jetzt hat es keinen Sinn mehr, über vergangene Sünden zu rechten, sondern es kommt darauf an, einen neuen Entschluß zu fassen. Denn sonst wird das deutsche Volk geknechtet bleiben, damit aber wäre die Zukunft der ganzen Menschheit gefährdet.

Fichte hat sich, wie wir wissen, schon vorher der Wirklichkeit mehr und mehr genähert. Jetzt, unter dem Eindruck der Vernichtung aller deutschen Staaten, tat er den letzten entscheidenden Schritt. Schon der Titel beweist das: er spricht nicht mehr zu Menschen schlechthin oder zu Gelehrten schlechthin – er spricht zu Deutschen. Fichte hat die sittliche Notwendigkeit des besonderen deutschen Volkstums in seinem Schmerz um den Zusammenbruch, in seinem Kampf um die Umgestaltung erlebt. Aber wie er überall nicht vermag, die Anerkennung des Gegebenen mit der Einheit der Vernunft zu verbinden, so gelingt ihm auch hier die Erhebung seines Vernunftinstinktes zu einsichtigem Bewußtsein nicht ohne Rest. Er kann nicht das Recht der geschichtlich gewordenen Mannigfaltigkeit verschiedener Nationen anerkennen, die auf verschiedenen Wegen dem Ziel des rechten Volkslebens nachstreben. Vielmehr fordert seine Einheit heischende Vernunft *ein* Volk, und dies eine Volk sieht er jetzt in den Deutschen, weil sie allein unter den Völkern germanischer Herkunft sich die Reinheit der Ursprache bewahrt haben (die Skandinavier zählt er folgerecht zu den Deutschen). Die anderen Völker können nur durch das Menschheitsvolk, durch die Deutschen, zur Höhe der wahren Menschheit erhoben werden. Dabei denkt Fichte freilich nicht an Gewalt oder politische Herrschaft, sondern nur an geistige Einwirkung. Voraussetzung dazu ist aber die staatliche Unabhängigkeit. Nur ein von äußerer Herrschaft freies Volk kann seine Aufgabe erfüllen; auch der einzelne kann nur als Glied eines freien Volkes erfolgreich wirken. Darum muß er mit Einsetzung aller Kraft danach streben, daß das Volk, dem er angehört, dessen Sprache sein Innenleben gebildet und genährt hat, auch nach außen seine Geschicke selbst bestimmt, wenn nötig Gewalt der Gewalt entgegensetzend. Freilich, der tiefste sittliche Wert des einzelnen ist vom Erfolge unabhängig; er kann ohne Schuld sein, wenn sein Volk untergeht, er kann und darf dann bei seinen vergeblichen Kämpfen Trost aus dem Glauben schöpfen, daß auch erfolgloses, sittliches Wirken ewigen Wert hat und irgendwie, auch wenn wir es nicht zu erkennen vermögen, der moralischen Weltordnung dient. Aber dieser letzte Trost der Religion, der den verzweifelten Kämpfer aufrechterhält, soll nicht die Schlaffheit beschönigen. Gerade weil Fichte ganz von lebendiger Religion durchdrungen war, hatte er scharfe Worte gegen die, die aus der ewigen Seligkeit ein Schlummerkissen machen wollten. Wir sind auf der Erde, um hier nach Kräften dem für recht Erkannten zum Siege zu verhelfen. »Der natürliche, nur im wahren Falle der Not aufzugebende Trieb des Menschen ist der, den Himmel schon auf dieser Erde zu finden, und ewig Dauerndes zu verflößen in sein irdisches Tagewerk, das Unvergängliche im Zeitlichen selbst zu pflanzen und zu erziehen.« In diesem Sinne ruft Fichte hier die Deutschen auf. Jeder soll an der besseren Zukunft mitarbeiten. Denn im Entschlusse jedes einzelnen liegt das Heil. »Diese Reden sind nicht müde geworden euch einzuschärfen, daß euch durchaus nichts helfen kann denn ihr euch selber.« Im energischen Willen allein liegt die Möglichkeit einer Besserung.

Der Wille eines ganzen Volkes aber ist nicht auf einmal umzuwandeln. Hier muß die Erziehung eintreten, und darum entwickelte Fichte in den Reden an die deutsche Nation einen großgedachten Erziehungsplan, dessen Einzelheiten ich nicht besprechen kann. Fichte knüpfte an Pestalozzis Versuche an, jedem, auch dem ärmsten Kinde, zu freiem menschlichen Bewußtsein, zur Beherrschung seiner Sinnes- und Verstandesgaben zu verhelfen, den Geist jedes Kindes frei zu machen durch Arbeit, Einsicht und Liebe. Wie Fichte diese Erziehung fern von der Verderbnis der ihn umgebenden Welt durchgeführt denkt, ist uns weniger wesentlich. Das Entscheidende ist, daß jeder zur Selbsttätigkeit und zur freiwilligen Unterwerfung unter das für recht Erkannte erzogen werden soll. Nicht dumpfe Knechte einer äußeren Autorität, nicht schlaffe Sklaven der eigenen sinnlichen Triebe, sondern freie Diener des Vernunftgebotes, autonome Menschen sollen gebildet werden.

Nicht in den Mitteln der Erziehung, wohl aber in dem Werte, den er auf Erziehung und Bildung legte, und in dem hohen Ziele, das er der Bildung gab, stimmte Fichte mit den Männern überein, die Preußen damals von Grund auf erneuerten. Sie konnten das ungestört tun, denn den politischen Wert der besseren Erziehung erkannte Napoleon nicht. In diesem Sinne wurde unter Fichtes lebhaftester Anteilnahme die Universität Berlin begründet. Auch diesmal entsprach die Wirklichkeit nicht ganz den strengen und hohen Ansprüchen des Philosophen. Aber Fichte wußte jetzt, daß wir in der Umgebung, in die wir hineingesetzt sind, zu wirken haben trotz aller Widerstände; er ließ daher das Werk nicht im Stich.

Fichtes Tod. Rückblick

Als dann 1813 der Befreiungskampf begann, wollte Fichte abermals wie schon 1806 als religiöser Redner mit in den Krieg ziehen. Da ihm das auch diesmal nicht gewährt wurde, blieb er in Berlin, übte seinen Beruf weiter aus und ließ sich einexerzieren, um im äußersten Falle als Soldat des Landsturms dem Vaterland zu dienen. Seine wackere Frau half die zahlreichen Verwundeten und Kranken pflegen, die besonders seit den Schlachten von Großbeeren und Dennewitz nach Berlin gelegt wurden. Sie zog sich dabei selbst eine ansteckende Krankheit zu. Fichte pflegte sie und ging, um ihr Leben bangend, am 3. Januar 1814 ins Kolleg. Er las zwei Stunden über höchst abstrakte Fragen der reinen Philosophie, während er fürchtete, seine Frau nicht mehr lebend anzutreffen. Als er nach Hause kam, sagten ihm die Ärzte, daß die Krise vorüber und die Kranke wahrscheinlich gerettet sei. Froh beugte er sich über sie und empfing dabei vermutlich selbst den Keim der Krankheit, der er am 29. Januar 1814 erlag, während seine Frau genas.

Obwohl dieser Tod Fichtes Leben gleichsam krönt, wäre es doch ganz und gar nicht in seinem Sinne, mit dem Tode zu schließen. Fichtes Philosophie ist eine Lehre des Lebens und seiner Gestaltung durch den vernünftigen Willen. Diese Formel gemahnt an Sokrates und fordert zu einem Rückblicke auf.

Sokrates hat als erster die Grundfrage nach den Zwecken unseres Daseins in den Mittelpunkt des Nachdenkens gestellt und dadurch der Philosophie ihren wahren Gegenstand bestimmt. In der Erkenntnis glaubte er die Lösung aller Schwierigkeiten zu besitzen. Noch hing er mit den Überlieferungen seines Volkes so eng zusammen, daß er überzeugt war, durch sein Denken die alte Sitte und Religion nicht umzustürzen, sondern erst in voller Reinheit zu erfassen. Platon, von der Wirklichkeit zurückgestoßen, in seinen Reformversuchen erfolglos, baute in großartiger Weise ein System menschlicher Ziele auf und stellte es in eine Welt, die selbst ganz und gar nach den Ideen der Vernunft gebaut ist. Die Wissenschaft der Neuzeit beweist im Gegensatz dazu, daß unsere Naturerkenntnis nicht nach Zwecken, sondern nach Ursachen fragen muß, wenn sie Erfolge erzielen will. Von neuem fordert der Umsturz einer lange herrschenden Denkweise zu einer Prüfung der Erkenntnisgrundlagen auf; Descartes findet in der Selbstgewißheit des Denkens den festen Punkt, von dem aus er den Zweifel überwindet. In ihm erreicht die Einsamkeit des Philosophen, seine Entfremdung von Staat, Volk und Gesellschaft einen Höhepunkt; denn schon sein Schüler Spinoza, durch das Schicksal ganz auf sich selbst gestellt, betont doch wieder die Fragen des menschlichen Zusammenlebens. Er findet in der Hingabe an eine ganz verstandesmäßig gedachte Gottnatur Befriedigung seiner religiösen Sehnsucht. Aber so groß der Eindruck seines Systems ist, der kritischen Vernunft hält es nicht stand. Wir haben an ihm die Unmöglichkeit einer Metaphysik und damit zugleich einer Ethik erkannt, die von einer Vorstellung des Weltzusammenhanges her den Wert unseres Lebens bestimmen wollte. Kant erst macht vollen Ernst damit, die Philosophie auf die Untersuchung der Voraussetzungen und der Tragweite unseres Erkennens zu begründen. Er findet, daß die Welt selbst unsere Aufgabe ist, daß wir sie als Ziel verstehen müssen, nicht aus ihr unsere Ziele ableiten dürfen. Zugleich macht er mit seiner Ethik des guten Willens der alten Einseitigkeit ein Ende, die glaubt, daß durch die richtige Erkenntnis schon das richtige Handeln gewonnen sei. So schafft er die Grundlagen, von denen aus wir nun von neuem versuchen müssen, Klarheit über die Ziele unseres Lebens zu erlangen. Als erster hat Fichte diese Aufgabe in ganz bestimmter Weise zu lösen begonnen. Von allgemeinen Forderungen ausgehend, kam er schrittweise zu der Erkenntnis, daß jedem Menschen nach seiner besonderen Stellung in seiner Zeit und in seinem Volke besondere Aufgaben erwachsen. Die Einheit mit seiner Umgebung, die in Sokrates trotz der beginnenden Entfremdung noch naiv vorhanden ist, wird hier als Vernunftziel gestellt. Dieser Gedanke ist für unsere Gegenwart besonders wichtig; wir sind getrennt und zerspalten in Stände und Parteien, jeder von uns ist auf ein kleines Lebens- und Arbeitsgebiet beschränkt und muß es sein, wenn er etwas leisten will. Die enge und innige Einheit, die eine als selbstverständliche Wahrheit hingenommene Überlieferung früheren Jahrhunderten gab, ist unwiderbringlich verloren. Und doch sollen wir ein echtes Volk, ein einheitlich fühlendes und handelndes Volk *werden*; denn wir sind weit entfernt es zu sein. Wir können das nur durch »Vernunftkunst«, um Fichtes Wort zu gebrauchen, durch wissenschaftlich begründete und dem Leben angepaßte Überzeugungen von dem, was wir sollen. Wir müssen dabei Fichtes Irrtum, die Mannigfaltigkeit des Lebens aus der Einheit der Vernunft abzuleiten, überwinden. Aber die Aufgabe, mit der er sein Leben lang kämpfte, die Vereinigung reinsten Wollens und Erkennens aus ursprünglichster Kraft mit Anerkennung des geschichtlich gewordenen Zusammenhangs ist auch die unsere.

Ich konnte Ihnen nur den ersten Anfang des Weges zeigen, den man hier gehen muß. Meine Absicht war, die Überzeugung von der Notwendigkeit der Philosophie als einer Wissenschaft von den Zielen unseres Lebens zu wecken und Ihnen die sicheren Grundsätze dieser Wissenschaft mitzuteilen.

Fichte

Nach dem Bronzemedaillon von L. Wichmann an dem Grabdenkmal Fichtes.
(Alter Dorotheenstädtischer Kirchhof in Berlin.)

Register.

(Die Philosophen, denen ein ganzer Vortrag gewidmet ist, sind nicht aufgenommen.)

Fußnoten

1 Bei der Übersetzung habe ich zu Rate gezogen: Hermann Zimpel: Platons Apologie, Kriton, Phaidon. Breslau. Woywod 1888. Ich möchte diese durch ihre schlichte und lebendige Sprache zur Einführung sehr geeignete Übersetzung meinen Lesern dringend empfehlen.

2 D. h.: der Gefängnisbehörde, einer Kommission von 11 Männern.

3 Dem Gott der Heilkunst für seine Genesung – denn so faßte Sokrates den Tod auf.

4 In seinem Alterswerk, den Gesetzen, stellt er allerdings den Kommunismus als (für Menschen kaum erreichbares) Ideal hin.

5 Prolegomena zu einer jeden künftigen Metaphysik, die als Wissenschaft wird auftreten können. 1783.

Allgem. Geschichte der Philosophie

(Die Kultur der Gegenwart, hrsg. von Prof. *P. Hinneberg*. Teil I, Abt. V.) 2., verm. u. verb. Aufl. Geh. M. 14.–, geb. M. 18.–, in Halbfranz M. 24.–

»Man wird kaum ein Buch finden, das von gleich hohem Standpunkt aus, dabei in fesselnder Darstellung eine Geschichte der Philosophie von ihren Anfängen bis in die Gegenwart u. damit eine Geschichte des geistigen Lebens überhaupt gibt.«

(Ztschr. f. latein. höh. Sch.)

Systematische Philosophie

(Kultur d. Geg., hrsg. v. Prof. *P. Hinneberg*. Teil I, VI.) 3. A. (U. d. Pr. 1920.)

»Die Hervorhebung des Wesentlichen, die Reife des Urteils, das Fernhalten alles Schulmäßigen und Pedantischen, die Klarheit u. Sorgfalt des sprachl. Ausdrucks – dies alles drückt den einzelnen Abhandlungen den Stempel des Klassizismus auf.«

(Jahrb. d. Philosophie.)

Einleitung in die Philosophie

Von Prof. Dr. *Hans Cornelius*. 2. Aufl. Geh. M. 8.–, geb. M. 10.–

»Die gegebenen Gesichtspunkte und Einleitungen führen tief in die Erkenntnistheorie und Psychologie. Leser, die einer tiefgründigen Untersuchung nicht aus dem Wege gehen, werden viel von ihm lernen.«

(Leipziger Zeitung.)

Zur Einführung in die Philosophie der Gegenwart

Von Geh. Reg.-Rat Prof. Dr. *A. Riehl*. 5. Aufl. Geh. M. 4.50, geb. M. 6.40

»Von den üblichen Einleitungen in die Philosophie unterscheidet sich Riehls Buch nicht bloß durch die Form der freien Rede, sondern auch durch seine ganze methodische Auffassung und Anlage. Nichts von eigenem System, nichts von langatmigen, logischen, psycholog. oder gelehrten historischen Entwicklungen, sondern eine lebendig anregende u. doch nicht oberfläch., vielmehr in das Zentrum der Philosophie führende Betrachtungsweise.«

(Monatschr. f. höh. Schulen.)

Wilhelm Diltheys gesammelte Schriften

In 6 Bdn. Jeder Bd. zum Preise von 8–12 M. geh. und 10–15 M. geb. Band II: Weltanschauung u. Analyse des Menschen seit Renaissance u. Reformation. Abhandl. z. Gesch. d. Philos. u. Relig. 2. Aufl. [U. d. Presse 1920.]

Inhalt: Auffassung und Analyse des Menschen im 15. und 16. Jahrhundert. – Das natürlichste System der Geisteswissenschaften. – Die Autonomie des Denkens. – Giordano Bruno. – Der entwicklungsgeschichtliche Pantheismus. – Aus der Zeit der Spinozastudien Goethes. – Die Funktion in der Anthropologie in der Kultur des 16. und 17. Jahrhunderts.

Band IV: Jugendgeschichte Hegels. [U. d. Presse 1920]

Naturphilosophie

Unt. Redaktion v. Geh. Reg.-Rat Prof. Dr. *C. Stumpf*. Bearb. von Prof. Dr. *E. Becher*. (Die Kultur der Gegenwart. Hrsg. von Prof. *P. Hinneberg* Teil III, Abt. VII, 1.) Geh. M. 14.–, gebunden M. 18.–, in Halbfr. M. 24.–

Inhalt: Einleitung. Aufgabe der Naturphil. Naturerkenntnistheorie. Gesamtbild d. Natur.

Philosophisches Wörterbuch

Von Dr. *P. Thormeyer*. 2. verbesserte u. vermehrte Auflage. (Teubners kleine Fachwörterbücher Band 4.) Geb. M. 5.–

Sachliche, sprachliche und geschichtliche Erklärung aller wichtigen philosophischen Fachausdrücke nebst deren häufigeren Verbindungen und Zusammensetzungen sowie Darstellung der Hauptlehren der bedeutenderen Philosophen.

Das Grundproblem Kants. Eine kritische Untersuchung und Einführung in die Kant-Philosophie. V. Prof. Dr. *A. Brunswig*. Geh. M. 3.60, geb. M. 6.80.

Hegel und der nationale Machtstaatsgedanke. Von Dr. *H. Heller*. [Unter der Presse 1920.]

Persönlichkeit und Weltanschauung. Psych. Untersuch. z. Religion, Kunst u. Philos. Von Dr. *R. Müller-Freienfels*. M. Abb. i. T. u. a. 5 Taf. M. 6.–, geb. M. 9.–

Himmelsbild und Weltanschauung im Wandel der Zeiten. Von Prof. *Troels-Lund*. Aut. Übersetzung von *L. Bloch*. 4. Aufl. Geb. M. 7.50

Humor als Lebensgefühl. (Der große Humor.) Von Prof. Dr. *H. Höffding*. Eine psycholog. Studie. A. d. Dänischen v. *H. Goebel*. Geh. M. 3.80, geb. M. 5.40

Aus der Mappe eines Glücklichen. Von Wirkl. Geh. Oberreg.-Rat Ministerialdirektor Dr. *R. Jahnke*. 5. Aufl. Kart. M. 5.–

Gott, Gemüt und Welt. Goethes Aussprüche über Religion und religiös-kirchliche Fragen. Von *Theodor Vogel*. 4. Aufl. Geb. M. 5.–

Das Erlebnis und die Dichtung. Lessing. Goethe. Novalis. Hölderlin. Von Geh. Reg.-Rat Prof. Dr. *W. Dilthey*. 6. Aufl. Mit 1 Titelbild. Geh. M. 9.–, geb. M. 12.–

AUS WEIMARS VERMÄCHTNIS

»Nichts vom Vergänglichen, wie's auch geschah! Uns zu verewigen sind wir ja da.«

Im Sinne dieses Goetheschen Spruches soll in dieser Reihe zwanglos erscheinender Schriften versucht werden, das ewig Lebendige der größten Zeit deutschen Geisteslebens für Gegenwart und Zukunft fruchtbar zu machen. – Zunächst erschienen:

Schiller, Goethe und das deutsche Menschheitsideal. Von Prof. Dr. *K. Bornhausen* (Bd. 1.) Kart. M. 5.–

Will den Sinn wecken für den bleibenden Wert des Lebens der befreundeten Dichter in enger Arbeitsgemeinschaft, das in seiner Bedeutung für ihr Volk und die Menschheit auch für sie größer war als sie selbst. Die ihrer Poesie innewohnende Kraft, den Teil des Ganzen zu vergegenwärtigen, der in ihnen und uns Ewigkeit hat, gilt es fruchtbar zu machen für die Selbstbesinnung unserer Zeit.

Lebensfragen in unserer klassischen Dichtung. Von Gymnasialdir. Prof. *H. Schurig.* (Bd. 2.) Kart. M. 7.50

In dem Büchlein soll eine Brücke geschlagen werden zwischen den Lebenden und der Dichtung, gezeigt werden, wie die Dichtung unserer großen Klassiker, die das Leben selbst ist, gefaßt in Reinheit und gehalten im Zauber der Sprache, auch heute noch wahren Lebens Quell sein kann.

Hauptprobleme der Ethik

Neun Vorträge von Prof. Dr. *P. Hensel.* 2. Aufl. Kart. M. 3.60

»Das Buch *Hensels* ist die beste Einführung in die Hauptprobleme der Ethik, des sittlichen Denkens und der sittlichen Welt. Ich wüßte kein Buch, wo so knapp und scharf die grundlegenden Probleme in ihren Tiefen erfaßt und gestaltet sind, wo die großen Gesichtspunkte in dieser überragenden und umfassenden Weite, so daß Inhalte und Werte des sittlichen Geistes dem Leben und der Welt des Geistes an sich eingeordnet werden, gesehen und durchgeführt werden.«

(Theol. Jahresbericht.)

Geist der Erziehung

Pädagogik auf philosophischer Grundlage. Von Prof. Dr. *J. Cohn.* Geheftet M. 10.–, gebunden M. 13.–

Eine philosophische Begründung der Pädagogik, die zeigt, wie Erziehung und erziehende Gemeinschaften zusammenwirken können und müssen, um unter Berücksichtigung der gegenwärtigen Kulturlage und der Eigentümlichkeiten des deutschen Volkes den Zögling zum autonomen Glied der deutschen Kulturgemeinschaft heranzubilden.

Individuum und Gemeinschaft

Grundfragen der sozialen Theorie und Ethik. Von Prof. Dr. *Th. Litt.* Geh.
M. 7.–, geb. M. 9.–

Von den Erfahrungen und Bedürfnissen des praktischen Lebens ausgehend, sucht der Verfasser das überreiche soziologische Erfahrungsmaterial der Gegenwart, insbesondere der jüngsten gesamteuropäischen Krisis, mit Hilfe der Erkenntnismittel, die die fortschreitende Entwicklung des sozial- und kulturphilosophischen Denkens geschaffen hat, zu ordnen und zu deuten und für die soziale Selbsterfassung und Selbstleitung nutzbar zu machen.

Hauptfragen der modernen Kultur

Von Dr. *Emil Hammacher.* Geh. M. 10.–, geb. M. 12.–

»Man muß das inhaltreiche und fesselnde Buch selbst lesen, um sich von der Fülle von Anregungen, die es vermittelt, ein Bild zu machen. Neben den Arbeiten von Jonas Cohn, Adolf Dyroff, Karl Joel, Max Scheler, Georg Mehlis u. a. wird es als Zeuge eines hohen Idealismus seinen selbständigen Platz behaupten.«

(Deutsche Revue.)

Geschichtsphilosophie

Von Prof. Dr. *O. Braun.* In einem Bande mit: Grundzüge der histor. Methode. Von Geh. Reg.-Rat Prof. Dr. *A. Meister.* 2. Aufl. Geh. M. 1.50, geb. M. 2.40

Der erste Teil gibt eine ausführliche Geschichte der Disziplin vom Altertum bis zur Gegenwart, der zweite Teil behandelt die bedeutendsten Probleme und Lösungen der Gegenwart. Überall entwirft der Verfasser von den wichtigeren Erscheinungen knappe Bilder unter Verknüpfung der Persönlichkeiten mit den allgemeinen Kulturströmungen.

Philosophische Propädeutik

im Anschluß an Probleme der Einzelwissenschaften. Hrsg. von Geh. Reg.-Rat u. Oberreg.-Rat Dr. *G. Lambeck.* Geh. M. 5.60, geb. M. 8.–

Zeigt, wie jede Einzelwissenschaft – Naturwissenschaften, Mathematik, Geisteswissenschaften – bestrebt ist, die philosophischen Voraussetzungen, auf denen sie beruht und die philosophischen Probleme, die ihr Gebiet einschließen, zu ergründen und zu lösen und so an ihrem Teile dazu beiträgt, der Philosophie kritisches Material für die Schaffung eines einheitlichen Weltbildes zu liefern, nach dem jeder denkende Mensch verlangt.

Psychologisches Wörterbuch

Von Dr. *F. Giese.* (Teubners kl. Fachwörterbücher.) Geb. ca. M. 6.–

Auf sämtl. Preise Teuerungszuschläge d. Verlags (ab April 1920 100%, Abänderung vorbeh.) und teilweise der Buchhandlungen

Teubners kleine Fachwörterbücher

bringen *sachliche und worterläuternde Erklärungen aller wichtigeren Gegenstände und Fachausdrücke* der einzelnen Gebiete der Natur- und Geisteswissenschaften. Sie wenden sich an *weiteste Kreise* und wollen vor allem auch dem Nichtfachmann eine *verständnisvolle, befriedigende Lektüre wissenschaftlicher Werke und Zeitschriften* ermöglichen und den Zugang zu diesen erleichtern. Dieser Zweck hat Auswahl und Fassung der einzelnen Erklärungen bestimmt: *Berücksichtigung alles Wesentlichen, allgemeinverständliche Fassung der Erläuterungen, ausreichende sprachliche Erklärung der Fachausdrücke,* wie sie namentlich die immer mehr zurücktretende humanistische Vorbildung erforderlich macht.

Mit größeren rein wissenschaftlichen Nachschlagewerken können die kleinen Fachwörterbücher namentlich hinsichtlich der Vollständigkeit natürlich nicht in Wettbewerb treten, sie verfolgen ja aber auch ganz andere Zwecke, durch die Preis und Umfang bedingt waren. Den allgemeinen Konversationslexika gegenüber bieten sie bei den sich ohnehin mehr und mehr spezialisierenden auch außerfachlichen Interessen des Einzelnen Vorteile insofern, als die Bearbeitung *den besonderen Bedürfnissen des einzelnen Fachgebietes besser angepaßt* und leichter auf dem neuesten Stand des Wissens gehalten werden kann, als insbesondere auch die *Neu- und Nachbeschaffung* der einzelnen abgeschlossene Gebiete behandelnden Bände bedeutend leichter ist als die einer Gesamt-Enzyklopädie, deren erster Band gewöhnlich schon wieder veraltet ist, wenn der letzte erscheint.

Preis gebunden M. 5.– bis M. 7.20

Hierzu Teuerungszuschläge des Verlags: September 1920 100%, Abänderung vorbehalten.

* sind erschienen bzw. werden demnächst erscheinen; die anderen Bände sind in Vorbereitung.

*Philosophisches Wörterbuch. 2. Aufl. Von Dr. *P. Thormeyer.*

*Psychologisches Wörterbuch von Dr. *Fritz Giese.*

Literaturgeschichtliches Wörterbuch von Dr. *H. Röhl.*

Kunstgeschichtliches Wörterbuch von Dr. *E. Cohn-Wiener.*

Musikalisches Wörterbuch von Privatdozent Dr. *J. H. Moser.*

Wörterbuch des klassischen Altertums von Dr. *B. A. Müller.*

*Physikalisches Wörterbuch von Prof. Dr. *G. Berndt.*

Chemisches Wörterbuch von Privatdozent Dr. *H. Remy.*

Astronomisches Wörterbuch von Observator Dr. *H. Naumann.*

*Geologisch-mineralogisches Wörterbuch von Dr. *C. W. Schmidt.*

*Geographisches Wörterbuch von Prof. Dr. *O. Kende.*

*Zoologisches Wörterbuch von Dr. *Th. Knottnerus-Meyer.*

*Botanisches Wörterbuch von Dr. *O. Gerke.*

*Wörterbuch der Warenkunde von Prof. Dr. *M. Pietsch.*

*Handelswörterbuch von Dr. *V. Sittel* u. Justizrat Dr. *M. Strauß.*

Die Großmächte und die Weltkrise

Von Prof. Dr. *R. Kjellén.* Geh. ca. M. 8.–, geb. ca. M. 10.–

In dem die Fortführung seiner in 19 Auflagen verbreiteten »Großmächte der Gegenwart« bildenden Werk beleuchtet der Verfasser im ersten Teil das System der Großmächte vor dem Weltkriege, sie als die gewaltigsten Lebenserscheinungen auf der Erde betrachtend, mit leidenschaftlicher Teilnahme und gespannter Aufmerksamkeit, zugleich aber mit dem scharfen kühlen Blick, der hinter der Einzelerscheinung die Gesetzmäßigkeit sucht. Mit kühnem raschen Griff aus der Fülle die wesentlichen Züge auswählend, schafft Kjellén so ungewöhnlich anschauliche Lebensbilder der acht Großmächte. Der zweite Teil will ein Wegweiser durch die Machtprobleme des Weltkrieges sein und bringt eine Kennzeichnung des Staatensystems, wie es aus dem Kriege hervorgegangen ist. Den Abschluß bildet eine Betrachtung über das Wesen der Großmacht überhaupt.

Das Gymnasium und die neue Zeit

Fürsprachen und Forderungen für seine Erhaltung und seine Zukunft. Geh. M. 4.50, geb. M. 6.–

Das Buch stellt in längeren Darlegungen und kürzeren Äußerungen berufener Fürsprecher aus allen Kreisen und Arbeitsgebieten, vor allem auch von Männern des praktischen Lebens, zusammen, was sich über Bedeutung der humanistischen Bildung und des Gymnasiums für die künftige Gestaltung unseres Volkslebens sagen läßt.

Zur Einführung in die Philosophie der Gegenwart

Von Geh. Rat Prof. Dr. *A. Riehl.* 5. Aufl. Geh. M. 4.50, geb. M. 6.40

»... So steigt ein Stück geistiger Menschheitsgeschichte in seinen wesentlichen Umrissen mit herauf, und indem wir uns um die Sache bemühen, lernen wir große Menschen kennen, die für uns gelebt haben und uns einladen, mit ihnen zu leben.«

(Tägl. Rundschau.)

Persönlichkeit und Weltanschauung

Psychol. Untersuch. zu Religion, Kunst u. Philosophie. Von Dr. *R. Müller-Freienfels.* Mit Abb. im Text u. auf 5 Taf. Geh. M. 6.–, geb. M. 9.–

Aus Weimars Vermächtnis

»Nichts vom Vergänglichen, wie's auch geschah! Uns zu verewigen sind wir ja da.« Im Sinne dieses Goetheschen Spruches soll in dieser Reihe zwanglos erscheinender Schriften versucht werden, das ewig

Lebendige der größten Zeit deutschen Geisteslebens für Gegenwart und Zukunft fruchtbar zu machen. – Zunächst erschienen:

Schiller, Goethe und das deutsche Menschheitsideal. Von Prof. *K. Bornhausen.* (Bd. 1.) Kart. M. 5.–

Lebensfragen in unserer klassischen Dichtung. Von Gymnasialdirektor Prof. *H. Schurig.* (Bd. 2.)

Das Erlebnis und die Dichtung

Lessing. Goethe. Novalis. Hölderlin. Von Geh. Reg.-Rat Prof. Dr. *W. Dilthey.* 6. Aufl. Mit 1 Titelbild. Geheftet M. 9.–, geb. M. 12.–

»Aus den tiefsten Blicken in die Psyche der Dichter, dem klaren Verständnis für die historischen Bestimmungen, in denen sie leben und schaffen mußten, kommt Dilthey zu einer Würdigung poetischen Schaffens, die eine selbständigfreie Stellung einnimmt.«

(Die Hilfe.)

Kapitalismus und Sozialismus

Betrachtungen über die Grundlagen der gegenwärtigen Wirtschaftsordnung sowie die Voraussetzungen und Folgen des Sozialismus. Von Geh. Regierungsrat Prof. Dr. *L. Pohle.* 2. Aufl. Geh. M. 6.–, geb. M. 7.–

Auf sämtliche Preise Teuerungszuschläge des Verlags: Sept. 1920 100%, Abänd. vorbeh.

Lightning Source UK Ltd.
Milton Keynes UK
UKHW042218071019

351185UK00004B/284/P

9 783734 062858